COLLECTION
L'IMAGINAIRE

Marguerite Duras

Le théâtre de L'Amante anglaise

Gallimard

À la mémoire de Pierre Dux.

à Madeleine Renaud,
à Michaël Lonsdale.

LE CRIME

Le crime évoqué dans *L'Amante anglaise* s'est produit dans la région de l'Essonne, à Savigny-sur-Orge, dans le quartier dit de « La Montagne Pavée » près du Viaduc du même nom, rue de la Paix, en décembre 1949.

Les gens s'appelaient les Rabilloux. Lui était militaire de carrière à la retraite. Elle, elle avait toujours été sans emploi fixe.

Il y avait eu deux enfants, deux filles.

Le crime avait été commis par la femme Rabilloux sur la personne de son mari : Un soir, alors qu'il lisait le journal, elle lui avait fracassé le crâne avec le marteau dit « de maçon » pour équarrir les bûches.

Le crime fait, pendant plusieurs nuits, Amélie Rabilloux avait dépecé le cadavre. Ensuite, la nuit, elle en avait jeté les morceaux dans les trains de marchandises qui passaient par ce viaduc de la Montagne Pavée, à raison d'un morceau par train chaque nuit.

Très vite la police avait découvert que ces trains qui sillonnaient la France avaient tous ceci en commun : ils passaient tous justement sous ce viaduc de Savigny-sur-Orge.

Amélie Rabilloux a avoué dès qu'elle a été arrêtée.

Je les ai appelés les Lannes. Elle, Claire, Claire Lannes. Lui, Pierre, Pierre Lannes.

J'ai changé aussi la victime du crime; elle est devenue Marie-Thérèse Bousquet, la cousine germaine de Pierre Lannes, celle qui tient la maison des Lannes à Viorne.

Je crois que la peine d'Amélie Rabilloux a été considérablement écourtée. Au bout de cinq ans, en effet, on l'a revue à Savigny-sur-Orge. Elle était revenue dans sa maison, rue de la Paix.

Quelquefois on l'a encore revue. Elle attendait l'autobus en bas de sa rue.

Toujours elle était seule.

Un jour on ne l'a plus vue.

À Savigny-sur-Orge personne ne se souvient plus. Le dossier du crime d'Amélie Rabilloux rejoint définitivement les Archives Judiciaires Nationales en Indre-et-Loire.

C'est dans la chronique de Jean-Marc Théolleyre que j'ai appris l'existence du crime d'Amélie Rabilloux. Le génial chroniqueur du *Monde* disait qu'Amélie Rabilloux, inlassablement, posait des questions pour essayer de savoir le pourquoi de ce crime-là, qu'elle, elle avait commis. Et qu'elle n'y était pas parvenue.

Je dois dire que c'est aussi la grâce – magique – de Madeleine Renaud qui s'est emparée de ce crime et l'a fait sien, sacré à l'égal de la vérité.

M. D.

Le théâtre du roman de *L'Amante anglaise* a été tiré du roman du même nom paru en 1967. *Le théâtre de l'Amante anglaise* n'avait jamais été publié jusqu'à ce jour.

La création de la pièce a eu lieu au Théâtre Gémier avec Madeleine Renaud, Claude Dauphin et Michaël Lonsdale.

Ensuite, pour quelques semaines, la pièce a été jouée au Théâtre Récamier, rue Barat. Claude Dauphin était mort, Jean Servais le remplaçait.

C'est en 1976 et 1977 que la pièce a été jouée au Théâtre d'Orsay, dans sa distribution définitive, avec Madeleine Renaud, Pierre Dux et Michaël Lonsdale. Ensuite, pendant près d'un an, entre 1989 et 1990, elle a été jouée dans la petite salle du Rond-Point.

La mise en scène de *L'Amante anglaise* a été celle de Claude Régy, que ce soit en France ou à l'étranger [1].

L'Amante a toujours été jouée en français et, par les mêmes comédiens, Renaud, Dux, Lonsdale à New York, à San Francisco, à Los Angeles, à Berkeley, à Québec, Ottawa, Toronto, Montréal et Londres au Royal Court Theater.

1. *L'Amante anglaise* a aussi été jouée au Théâtre populaire de Thionville sous la direction de Charles Torjman avec un grand succès. Et reprise ensuite – l'année d'après je crois me souvenir au Théâtre de Malakoff avec le même succès.

LE SPECTACLE

La représentation de *L'Amante anglaise* doit être sans décor aucun, sur un podium avancé, devant le rideau de fer baissé, dans une salle restreinte, « sans décor ni costumes ».

La pièce est précédée par le texte suivant, écrit et enregistré par l'auteur :

« Le 8 avril 1949 on découvre en France, dans un wagon de marchandises, un morceau de corps humain.

Dans les jours qui suivent, en France et ailleurs, dans d'autres trains de marchandises, on continue à découvrir d'autres morceaux de ce même corps. Puis ça s'arrête. Une seule chose manque : la tête. On ne la retrouvera jamais.

Grâce à ce qu'on appelle le recoupement ferroviaire l'enquête permet de découvrir que tous les trains qui ont transporté les morceaux de ce corps sont passés – quelle que soit leur destination – par un même point, à savoir : sous le Pont de La Montagne Pavée, à Viorne, circonscription de Corbeil.

Très vite, la commune de Viorne, 2 500 habitants, 75 Portugais, investie de fond en comble par la police, livre son dépeceur de cadavres : une autre femme, Claire Amélie Lannes, 51 ans, ressortissante de Viorne depuis vingt ans, depuis son mariage avec Pierre Lannes.

Dès qu'elle se trouve en face de la police, Claire Lannes avoue son crime. Elle dit avoir assassiné sa cousine Marie-Thérèse Bousquet, sourde et muette.

Malgré son évidente bonne volonté tout au long du procès, Claire Lannes n'a jamais réussi à donner d'explications à ce crime. »

*

Le premier acteur à entrer sur scène est Pierre Lannes. Il s'assied, il attend. C'est quand il est assis que l'Interrogateur apparaît : il était dans la salle parmi les spectateurs. Il n'a pas de place fixe au cours de la représentation. Il fait ce qu'il veut.

Il marche. Il revient sur ses pas, il s'arrête, se

tait, repart, s'adosse aux portes, aux murs, quelquefois il se tait pendant de longues secondes.

L'interrogateur est complètement « en allé » dans le crime commis par cette femme. De temps à autre il revient vers nous, on se regarde, puis il repart. Il est désespéré par elle, pour elle – il a la lenteur du désespoir, celle, religieuse, d'un croyant. Au Théâtre Gémier, parfois il montait sur la scène et, lentement, il allait derrière elle et posait ses mains sur ses cheveux et il restait là jusqu'à la fin. Et elle, elle parlait sous ses mains, tout à coup heureuse.

PIERRE LANNES

L'INTERROGATEUR : Vous voulez bien dire qui vous êtes?

PIERRE : Je m'appelle Pierre Lannes. Je suis originaire de Cahors. Je suis fonctionnaire au ministère des Finances.

L'INTERROGATEUR : Vous habitez Viorne depuis 1944, depuis vingt-deux ans.

PIERRE : Oui. À part deux ans à Paris, après notre mariage nous sommes toujours restés ici.

L'INTERROGATEUR : Vous vous êtes marié à Claire Amélie Bousquet, à Cahors, en 1942.

PIERRE : Oui.

L'INTERROGATEUR : Avant de commencer je vous rappelle que vous n'êtes pas obligé de répondre aux questions et que vous pouvez partir quand vous le voudrez.

PIERRE : Oui.

L'INTERROGATEUR : Vous savez sans doute par

l'instruction qu'elle dit avoir agi seule et que vous n'étiez au courant de rien.

PIERRE : C'est la vérité.

L'INTERROGATEUR : Vous avez tout appris en même temps que la police?

PIERRE : Oui. J'ai tout appris lorsqu'elle a avoué, au café Le Balto, le soir du 13 avril.

L'INTERROGATEUR : C'est elle qui avait voulu aller au Balto?

PIERRE : Oui. C'était la première fois qu'on y retournait depuis le crime. Elle m'avait dit d'aller de l'avant, qu'elle m'y rejoindrait. Elle est arrivée avec une valise en déclarant qu'elle partait pour Cahors le soir même. Depuis vingt ans elle n'était plus allée à Cahors.

Silence.

Il y avait un policier en civil au Balto. On a commencé à parler du crime. À faire des suppositions. Quelqu'un, pour faire le malin, a dit qu'il savait, que le crime avait été commis dans la forêt, à cinquante mètres du Pont de la Montagne Pavée.

L'INTERROGATEUR : Qui?

PIERRE : Moi. *(Arrêt.)* Je ne sais pas ce qui m'a pris. *(Un temps.)* Alors elle est allée vers le policier et elle a dit que non, que ce n'était pas dans la forêt, mais dans une cave, à quatre heures du matin.

L'INTERROGATEUR : Avant ce soir-là, vous n'avez rien soupçonné de ce qui s'était passé?

PIERRE : Non. Rien.

L'INTERROGATEUR : Je voudrais que vous me répétiez ce qu'elle vous a dit pour justifier l'absence de sa cousine Marie-Thérèse Bousquet.

PIERRE : Elle m'a dit : « Tu sais, Marie-Thérèse est partie pour Cahors, très tôt ce matin. » C'était vers sept heures, quand je me suis levé.

L'INTERROGATEUR : Vous l'avez crue?

PIERRE : Je n'ai pas cru qu'elle disait toute la vérité, mais j'ai cru qu'elle en disait une partie. Je n'ai pas cru qu'elle mentait.

L'INTERROGATEUR : Vous avez toujours cru ce qu'elle vous racontait?

PIERRE : Oui. Ceux qui la connaissaient la croyaient. Je croyais que si, autrefois, elle m'avait menti sur certains points de son passé, maintenant elle ne mentait plus du tout.

L'INTERROGATEUR : Sur quel passé?

PIERRE : Celui d'avant notre rencontre. C'est loin, ça n'a rien à voir avec le crime.

L'INTERROGATEUR : Vous n'avez pas été étonné par le départ de votre cousine?

PIERRE : Si. Très. Mais j'avoue que j'ai surtout

pensé à la maison, à ce qu'elle allait devenir pendant son absence, une catastrophe. J'ai questionné ma femme. Elle m'a raconté une histoire qui tenait debout, que Marie-Thérèse était partie voir son père, qu'elle voulait le revoir avant sa mort, qu'elle reviendrait dans quelques jours.

L'INTERROGATEUR : Ces quelques jours passés, vous lui avez rappelé la chose?

PIERRE : Oui. Alors elle m'a dit : « On est aussi bien sans elle, je lui ai écrit de ne pas revenir. »

L'INTERROGATEUR : Vous l'avez encore crue?

PIERRE : J'ai cru qu'elle me cachait quelque chose mais je n'ai pas cru qu'elle me mentait, toujours pas.

L'INTERROGATEUR : Mais plusieurs suppositions vous ont traversé l'esprit?

PIERRE : Oui. La seule que j'ai retenue était celle-ci : que Marie-Thérèse était partie parce qu'elle avait eu assez de nous tout d'un coup, qu'elle n'avait pas osé nous le dire.

L'INTERROGATEUR : Quelles autres suppositions auriez-vous pu faire, connaissant Marie-Thérèse comme vous la connaissiez?

PIERRE : Qu'elle avait pu partir avec un homme, un Portugais; les Portugais s'en fichent qu'elle soit sourde et muette. Ils ne parlent pas le français.

L'INTERROGATEUR : Et avec Alfonso, aurait-elle pu partir?

PIERRE : Non, même avant, non, ça n'a jamais été sentimental ce qu'il y a eu entre Marie-Thérèse et Alfonso. C'était une sorte de commodité, vous comprenez. Ce que je n'ai pas pensé du tout c'est qu'elles avaient pu se disputer.

L'INTERROGATEUR : Qu'est-ce que vous avez compté faire?

PIERRE : M'arranger pour faire mettre Claire dans une maison de repos avant d'aller à Cahors rechercher Marie-Thérèse. De cette façon j'aurais pu annoncer à Marie-Thérèse que j'étais seul désormais, que le travail serait moins dur.

L'INTERROGATEUR : Autrement dit ce départ était pour vous une aubaine pour vous séparer de Claire?

PIERRE : Oui. Pénible, mais quand même. Je peux aller jusqu'à dire une aubaine inespérée.

L'INTERROGATEUR : Et si Marie-Thérèse Bousquet avait refusé de revenir malgré le départ de Claire? Vous y aviez pensé?

PIERRE : Oui. J'aurais pris quelqu'un d'autre. Je ne peux pas tenir ma maison tout seul.

L'INTERROGATEUR : Mais en vous débarrassant de Claire de la même façon?

PIERRE : Oui. Encore davantage. Une personne nouvelle n'aurait pas pu se faire à la présence de Claire dans la maison.

L'INTERROGATEUR : C'est pour toutes ces raisons que vous n'avez pas insisté pour en savoir davantage sur le départ de Marie-Thérèse?

PIERRE : Peut-être. Mais il y a aussi que j'ai très peu vu Claire pendant ces jours-là. Il a fait beau, elle est restée dans le jardin. C'est moi qui suis allé faire les courses en rentrant du bureau.

L'INTERROGATEUR : Elle ne mangeait pas?

PIERRE : Pas beaucoup. Je crois qu'elle mangeait la nuit.

Un matin j'ai vu que le pain avait diminué.

L'INTERROGATEUR : Elle était très abattue pendant ces cinq jours?

PIERRE : Quand je partais elle était dans le jardin. Quand je rentrais elle y était encore. Elle ne me voyait pas, je lui étais devenu étranger – tout à fait. Je ne crois pas qu'elle était abattue. Je parle de la période qui a suivi le crime. Pendant la période du crime, si je me souviens bien, une fois, oui je l'ai trouvée endormie sur le banc, dans le jardin, elle paraissait exténuée, morte. Le lendemain, je l'ai trouvée tout habillée vers deux heures de l'après-midi. Elle m'a dit qu'elle allait à Paris. Elle est revenue tard, vers dix heures du soir.

L'INTERROGATEUR : Elle allait rarement à Paris?

PIERRE : Depuis quelques années, oui, rarement.

À part ce voyage à Paris, que ce soit pendant ou après le crime, elle a dû passer ses journées dans le jardin.

L'INTERROGATEUR : Il paraît qu'elle a toujours passé beaucoup de temps dans ce jardin. Alors, qu'elle est la différence?

PIERRE : C'est-à-dire aucune. Il n'y avait plus d'heures dans la maison sans Marie-Thérèse, elle pouvait y rester autant qu'elle voulait, jusqu'à la nuit.

L'INTERROGATEUR : Vous ne l'appeliez pas?

PIERRE : Je n'avais plus envie de le faire.

Elle me faisait un peu peur depuis quelque temps, depuis qu'elle avait jeté le transistor dans le puits. Je croyais que c'était la fin.

L'INTERROGATEUR : Cette peur n'était pas aussi un soupçon?

PIERRE : Peut-être mais pas sur ce qui s'est passé. Comment voulez-vous?

L'INTERROGATEUR : Vous l'avez revue depuis qu'elle est arrêtée?

PIERRE : Oui, je suis allé à la prison le lendemain, on m'a laissé la voir.

L'INTERROGATEUR : Quel effet vous fait-elle maintenant?

PIERRE : Je ne comprends plus rien, même à moi-même.

L'INTERROGATEUR : Vous aviez peur de quoi?

PIERRE : En l'absence de Marie-Thérèse, de tout.

L'INTERROGATEUR : Marie-Thérèse la surveillait?

PIERRE : Oui, il le fallait. Gentiment, n'ayez crainte. J'avais peur qu'elle fasse un scandale, qu'elle se supprime... Vous savez après des événements pareils, on croit se rappeler de choses qu'on n'a peut-être pas pensées.

L'INTERROGATEUR : Vous n'êtes pas allé à la cave pendant ces jours-là?

PIERRE : J'y vais pour chercher du bois l'hiver. Là, il faisait chaud, on ne faisait plus de feu. D'ailleurs, elle m'a dit : « Marie-Thérèse a emporté la clef de la cave, n'y va pas. »

L'INTERROGATEUR : Vous aviez peur qu'elle se supprime ou bien vous l'espériez?

PIERRE : Je ne sais plus.

L'INTERROGATEUR : Je voudrais vous demander votre avis : vous croyez qu'elle a agi seule ou que quelqu'un l'a aidée?

PIERRE : Je suis sûr : seule.

L'INTERROGATEUR : Elle a dit, paraît-il, qu'elle a rencontré Alfonso une fois, vers deux heures du matin, quand elle allait au Pont de la Montagne Pavée avec son sac à provisions.

PIERRE : Alors je ne sais pas.

On a interrogé Alfonso avant son départ?

L'INTERROGATEUR : Oui. Il a nié l'avoir rencontrée depuis le crime. Mais il dit qu'il la rencontrait souvent dans le village, la nuit, cela depuis des années.

PIERRE : C'est vrai? Ce n'est pas possible.

L'INTERROGATEUR : À moins qu'Alfonso ne dise pas la vérité?

PIERRE : Non, s'il l'a dit c'est vrai.

L'INTERROGATEUR : Qu'est-ce qu'elle disait d'Alfonso?

PIERRE : Elle n'en parlait pas plus que du reste. Quand il venait couper du bois elle était contente. Elle disait : « Heureusement qu'il y a Alfonso à Viorne. »

L'INTERROGATEUR : Je ne suis pas là pour vous interroger sur les faits, comme vous le savez, mais sur le fond. C'est votre avis sur elle qui importe.

PIERRE : Je comprends.

L'INTERROGATEUR : Pourquoi, d'après vous, a-t-elle dit qu'elle avait rencontré Alfonso?

PIERRE : Elle l'aimait beaucoup, alors normalement elle aurait dû ne rien dire là-dessus pour lui éviter des ennuis. Je ne sais pas.

L'INTERROGATEUR : Le soir du 13 avril, au Balto, vous avez dit – devant le policier – qu'Alfonso savait tout sur le crime. Pourquoi?

PIERRE : Je ne réponds pas à cette question.

L'INTERROGATEUR : Si quelqu'un, dans Viorne, était susceptible de savoir, qui était-ce?

PIERRE : Lui – Alfonso. Elle sait qu'il a quitté la France?

L'INTERROGATEUR : Non. Je cherche qui est cette femme, Claire Lannes, et pourquoi elle dit avoir commis ce crime. Le reste m'est égal. Elle, elle ne donne aucune raison à ce crime. Alors, je cherche pour elle.

Est-ce que vous compreniez qu'elle ait de l'affection pour Alfonso?

PIERRE : C'était un homme qui vivait dans une cabane dans la forêt, en haut, vous savez. Il travaillait chez les uns et chez les autres. C'est comme ça qu'on l'a connu. À Viorne on disait qu'Alfonso était un peu simple – vous comprenez. Il ne parlait pas beaucoup lui non plus. Elle, elle devait imaginer des histoires sur lui.

L'INTERROGATEUR : Ils ne se ressemblaient pas un peu?

PIERRE : Peut-être au fond, oui. Mais elle était plus fine que lui quand même.

Qu'est-ce qu'on dit d'elle, vous vous êtes renseigné?

L'INTERROGATEUR : Maintenant on dit ce qu'on dit toujours : qu'un jour ou l'autre... elle devait passer aux actes... Avant, je ne sais pas ce qu'on disait d'elle. – Personne ne dit que vous avez été malheureux avec elle.

PIERRE : J'ai toujours caché la vérité sur la vie qu'elle me faisait mener. C'était l'indifférence complète depuis des années.

Elle ne nous regardait plus. À table elle tenait les yeux baissés. On aurait dit qu'on l'intimidait, qu'elle nous connaissait de moins en moins à mesure que le temps passait. Quelquefois j'ai pensé que ç'avait été la présence de Marie-Thérèse qui l'avait habituée à se taire, et même, il m'est arrivé de regretter de l'avoir fait venir. Mais comment faire autrement? Elle ne s'occupait de rien. Sitôt les repas terminés elle retournait dans le jardin ou bien dans sa chambre, ça dépendait du temps.

L'INTERROGATEUR : Qu'est-ce qu'elle faisait dans le jardin ou dans sa chambre?

PIERRE : Pour moi elle devait dormir.

Un temps.

L'INTERROGATEUR : Vous n'alliez jamais la voir, lui parler?

PIERRE : Non. Il aurait fallu vivre avec elle pour le comprendre. De temps en temps c'était quand même nécessaire que je lui parle. Pour les gros achats, les réparations de la maison, je la mettais au courant, j'y tenais, elle était toujours d'accord, remarquez, surtout pour les réparations. Un ouvrier dans la maison, ça lui plaisait beaucoup, elle le suivait partout, elle le regardait travailler. Parfois même c'était un peu gênant pour l'ouvrier, enfin le premier jour, après il la laissait faire. Au fond, c'était une espèce de folle qu'on avait dans la maison, mais tranquille, c'est pourquoi on ne s'est pas méfié assez. Au fond, oui. Il ne faut pas chercher ailleurs.

Vous voyez c'est à ce point que je me suis demandé si elle n'avait pas tout inventé, si c'était bien elle qui avait tué cette pauvre fille... Les empreintes digitales concordent? N'est-ce pas?

L'INTERROGATEUR : Je ne sais rien sur ce point.

PIERRE : Elle, une femme, où a-t-elle trouvé la force?... Il n'y aurait pas les preuves, vous ne le croiriez pas vous non plus?

L'INTERROGATEUR : Personne. Elle non plus peut-être.

Elle dit qu'une fois – elle n'a pas précisé quand c'était – elle vous a demandé s'il vous était déjà arrivé de rêver que vous commettiez un crime. Vous vous en souvenez?

PIERRE : Le juge m'a déjà posé la question. Il y a deux ou trois ans il me semble. Un matin. Je me suis souvenu vaguement qu'elle m'a parlé d'un rêve de crime. J'ai dû lui répondre que ça arrivait à tout le monde, que ça m'était arrivé à moi aussi.

L'INTERROGATEUR : Et vous disiez la vérité?

PIERRE : Oui. Une fois surtout. Un cauchemar.

L'INTERROGATEUR : Quand?

PIERRE : Un peu avant qu'elle pose cette question, je crois. J'appuyais sur un bouton, tout sautait et...

L'INTERROGATEUR : Qui était tué?

PIERRE : ...

L'INTERROGATEUR : Vous n'êtes pas forcé de répondre, je vous le rappelle.

PIERRE : Je sais. Mais il faut bien, une fois, répondre. C'était Marie-Thérèse Bousquet. Mais en même temps, dans le cauchemar, je pleurais parce que je m'apercevais que je m'étais trompé de personne. Je ne savais pas clairement qui devait mourir mais ce n'était pas Marie-Thérèse. Il me semble que ce n'était pas ma femme non plus.

L'INTERROGATEUR : Vous n'avez pas cherché à vous rappeler?

PIERRE : Si, mais je n'ai pas réussi.

Ça n'a rien à voir avec ce qui vient de se passer, pourquoi me questionnez-vous là-dessus?

L'INTERROGATEUR : Je vous rappelle que vous n'étiez pas forcé de répondre. Je remarque que vous avez tué tous les deux la même personne, vous en rêve, elle en réalité.

PIERRE : Mais moi je savais que je me trompais.

L'INTERROGATEUR : L'erreur ne devait pas faire partie de votre rêve de crime, c'est tout de suite après que vous avez dû la corriger.

PIERRE : Comment?

L'INTERROGATEUR : Par un deuxième rêve. Vous avez dû faire un deuxième rêve dans lequel vous avez pleuré.

PIERRE : C'est possible. Je n'y suis pour rien.

L'INTERROGATEUR : Bien sûr. D'ailleurs vous n'avez pas dû commettre le même crime, votre femme et vous – à travers Marie-Thérèse – que ce soit en rêve ou en réalité. Vos véritables victimes devaient être différentes.

Dans ce récit imaginaire que vous avez fait le soir de l'aveu qui c'était?

PIERRE : Ce n'était plus personne. C'était la forme du rêve seulement.

L'INTERROGATEUR : Est-ce que vous avez parlé de ce rêve à votre femme, je veux dire dans le détail?

Pause.

PIERRE : Surtout pas, non. Je ne lui racontais rien de pareil. Si je lui ai parlé de ce rêve c'était pour la tranquilliser, parce qu'elle m'avait questionné.

Et puis, elle était indiscrète, elle ne comprenait pas qu'il y avait des choses à ne pas dire. Si je lui avais raconté mon rêve de Marie-Thérèse, elle aurait été capable d'en parler à table, devant elle, la pauvre.

L'INTERROGATEUR : Elle n'entendait pas.

PIERRE : Mais elle comprenait tout au mouvement des lèvres, tout. Rien ne lui échappait de ce que vous disiez. Tandis que ma femme, il fallait un temps fou pour lui raconter une histoire très simple. Des heures. Elle oubliait tout du jour au lendemain.

J'étais un homme très seul avec elle.

L'INTERROGATEUR : Elle n'oubliait pas tout de la même façon?

PIERRE : Non, je simplifie... Elle avait sa mémoire à elle. De Cahors, par exemple, elle se souvenait comme si elle l'avait quitté la veille, oui c'est vrai.

L'INTERROGATEUR : Vous la trompiez beaucoup?

PIERRE : Tous les hommes l'auraient trompée. Je serais devenu fou si je ne l'avais pas trompée. Elle devait le savoir, ça lui était égal.

L'INTERROGATEUR : Et elle, de son côté?

PIERRE : Je ne crois pas qu'elle m'ait trompé jamais. Non pas par fidélité mais parce que pour elle tout se valait. Même au début, quand on... j'avais le sentiment qu'un autre aurait été à ma place, il aurait fait l'affaire, sans différence.

L'INTERROGATEUR : Elle aurait donc pu passer d'un homme à l'autre tout aussi bien?

PIERRE : Oui, mais tout aussi bien elle pouvait rester avec le même. J'étais là.

L'INTERROGATEUR : Vous pouvez me donner un exemple de ce qu'elle comprenait le moins?

PIERRE : Les choses de l'imagination surtout. Une histoire inventée, une pièce à la radio par exemple, on n'arrivait pas à lui faire admettre qu'elle n'avait jamais existé. C'était une enfant par certains côtés.

La télévision, elle la comprenait à sa façon, bien sûr, mais au moins elle ne posait pas de question.

L'INTERROGATEUR : Elle lisait le journal?

PIERRE : Elle prétendait qu'elle le lisait, en fait, elle lisait les titres et puis elle le posait. Moi qui la connais je vous dis qu'elle ne lisait pas le journal.

L'INTERROGATEUR : Elle faisait semblant?

PIERRE : Non, elle ne faisait pas semblant. Elle ne faisait semblant de rien. Même pas. Elle croyait qu'elle lisait le journal, c'est différent. Une fois, il y a bien dix ans de ça, elle s'était mise à lire avec passion vous savez ces bêtises, ces petits illustrés pour les enfants. Ça m'avait agacé. Elle les chipait dans les pupitres des élèves quand elle était femme de service à l'école. Je lui avais interdit d'en rapporter et puis comme elle avait continué je les avais déchirés. Après elle s'est découragée, elle n'a plus rien lu.

Pour les illustrés, c'est donc à cause de moi si elle n'en lisait plus. C'était pour son bien.

Que c'est triste, quand même, pauvre femme.

L'INTERROGATEUR : Qui?

PIERRE : Claire, ma femme.

Un jour, c'était vers cette époque des illustrés, je l'ai forcée à me lire un livre à voix haute, un peu chaque soir, des récits de voyages. Un livre instructif et amusant. Ça n'a rien donné. J'ai abandonné. La moitié de ce livre c'est tout ce qu'elle a lu de sérieux dans sa vie.

L'INTERROGATEUR : Ça ne l'intéressait pas?

PIERRE : C'est-à-dire, elle ne voyait pas l'intérêt d'apprendre, elle ne savait pas apprendre. On décrivait un pays, elle oubliait celui de la veille. J'ai laissé aller. On ne peut pas s'opposer à quelqu'un qui ne veut pas se relever.

L'INTERROGATEUR : Vous avez fait quelles études?

PIERRE : J'ai la première partie du baccalauréat. J'ai dû abandonner mes études quand mon père est mort. Mais j'ai toujours essayé de me tenir au courant. J'aime la lecture.

L'INTERROGATEUR : Est-ce que vous pourriez dire d'elle qu'elle est sans intelligence aucune?

PIERRE : Non. Je ne le dirai pas. Tout d'un coup, sur quelqu'un, elle faisait une remarque qui étonnait. Il lui arrivait aussi – dans ses crises – d'être très drôle. Quelquefois elles faisaient les folles avec Marie-Thérèse; je vous parle du début, quand Marie-Thérèse venait d'arriver chez nous. Quelquefois aussi elle parlait d'une façon curieuse, un peu comme si elle avait récité des phrases écrites.

Je me souviens, sur les fleurs du jardin. Elle disait : « La menthe anglaise est maigre, elle est noire, elle a l'odeur du poisson, elle vient de l'île des Sables. »

Silence.

L'INTERROGATEUR : Qu'auriez-vous fait si vous aviez continué vos études?

PIERRE : J'aurais aimé entrer dans l'industrie.

L'INTERROGATEUR : Vous avez dit qu'elle était sans imagination ou ai-je mal compris?

PIERRE : Vous avez mal compris. Non. Elle ne comprenait pas l'imagination des autres. Mais son imagination à elle était très forte. Elle devait tenir une place plus grande que tout le reste.

L'INTERROGATEUR : Vous ne connaissiez rien de cette imagination?

PIERRE : Presque rien. Ce que je crois pouvoir dire c'est que les histoires qu'elle inventait auraient pu exister. Elles partaient d'une base juste, elle n'inventait pas tout. Par exemple, il lui arrivait de se plaindre de reproches que je ne lui faisais pas, mais que j'aurais très bien pu lui faire, qui auraient été justifiés. Comme si elle avait lu dans ma pensée.

Il lui arrivait aussi de nous rapporter des conversations qu'elle croyait avoir eues avec des passants. Personne n'aurait pu croire qu'elle les inventait.

Pause.

L'INTERROGATEUR : Elle ne souffrait pas de vieillir à votre avis?

PIERRE : Pas du tout. C'était son meilleur côté. Ça réconfortait quelquefois.

L'INTERROGATEUR : Comment le saviez-vous?

PIERRE : Je le savais.

Pause.

L'INTERROGATEUR : Que diriez-vous d'elle?

PIERRE : Rien ne restait en elle, c'était impossible qu'elle apprenne quoi que ce soit. Elle était comme fermée à tout et comme ouverte à tout, on peut dire les deux choses, rien ne restait en elle, elle ne gardait rien. Elle fait penser à un endroit sans portes où le vent passe et emporte tout.

Je me demande encore comment elle a réussi à apprendre à lire, à écrire.

L'INTERROGATEUR : Pourrait-on dire qu'elle était sans curiosité aucune?

PIERRE : Non plus. Sa curiosité était à part.

Les gens l'intriguaient en bloc et pas dans le détail. Je crois que pendant tout un temps Marie-Thérèse l'a intéressée. Au début surtout. Elle se demandait comment elle faisait pour vivre. Elle se l'était demandé pour Alfonso aussi.

L'INTERROGATEUR : Elle devenait Alfonso? Elle devenait Marie-Thérèse?

PIERRE : Presque. Elle coupait du bois pendant deux jours comme Alfonso. Ou bien elle se mettait de la cire dans les oreilles pour être sourde, et elle faisait des gestes comme Marie-Thérèse. Il aurait fallu la voir. C'était difficile à supporter.

L'INTERROGATEUR : Est-ce qu'elle ne voyait pas les autres comme incomplets, vides, avec l'envie de les remplir, de les finir, avec ce qu'elle inventait, elle?

PIERRE : Je vois ce que vous voulez dire. Non, ç'aurait été plutôt le contraire. Elle devait voir les autres comme s'ils avaient été impossibles à connaître par les moyens habituels, la conversation, le sentiment. Justement comme des blocs.

L'INTERROGATEUR : Elle était pleine de quoi? Dites le premier mot qui vous vient à l'esprit?

PIERRE : Je ne sais pas. Je ne peux pas. D'elle? D'elle-même, pleine d'elle-même.

L'INTERROGATEUR : Mais elle, qui?

PIERRE : Peut-être elle ne savait pas qui.

Un temps.

L'INTERROGATEUR : Ça vous ennuie ou ça vous intéresse de parler d'elle?

PIERRE : Ça m'intéresse. Plus que je n'aurais pensé.

L'INTERROGATEUR : Et de vous?

PIERRE : Oui.

L'INTERROGATEUR : Elle n'écrivait jamais de lettres?

PIERRE : Elle a écrit aux journaux, autrefois. Mais depuis dix ans, je crois qu'elle ne l'a plus fait. Non. Elle ne devait presque plus savoir écrire. D'ailleurs elle n'avait plus personne à Cahors, sauf cet oncle – le père de Marie-Thérèse. À qui aurait-elle écrit?

L'INTERROGATEUR : À cet homme, l'agent de Cahors?

PIERRE : Comment connaissez-vous son existence?

L'INTERROGATEUR : Elle en a parlé au juge d'instruction.

PIERRE : Non, je ne crois pas. Imaginer qu'elle pouvait donner des nouvelles, en demander, c'est impossible quand on la connaît. Autant que de l'imaginer en train de lire. Tandis qu'aux journaux elle pouvait écrire tout ce qui lui passait par la tête.

L'INTERROGATEUR : Elle n'a jamais revu cet agent après son mariage avec vous?

PIERRE : À ma connaissance, non, jamais.

Elle avait été très malheureuse avec lui. Je crois qu'ellc voulait l'oublier.

L'INTERROGATEUR : Quand?

PIERRE : Quand elle m'a connu, elle voulait l'oublier.

L'INTERROGATEUR : C'est pour l'oublier qu'elle s'est mariée?

PIERRE : Je ne sais pas.

L'INTERROGATEUR : Pourquoi l'avez-vous épousée?

PIERRE : Physiquement elle me plaisait beaucoup. Je peux dire que j'étais fou d'elle de ce point de vue. Ça m'a sans doute empêché de voir le reste.

L'INTERROGATEUR : Le reste?

PIERRE : Son caractère tellement bizarre, sa folie.

L'INTERROGATEUR : Avez-vous réussi à lui faire oublier l'agent de Cahors à votre avis?

PIERRE : Je ne crois pas, c'est le temps, à la longue, ce n'est pas moi. Et même si c'était moi, je ne l'ai pas remplacé.

L'INTERROGATEUR : Elle ne vous en parlait jamais?

PIERRE : Jamais. Mais je savais qu'elle y pensait. Et qu'en même temps elle voulait l'oublier je le savais aussi.

C'est à cause de lui qu'on n'est jamais allés passer nos vacances là-bas. On m'avait dit qu'il avait cherché à avoir son adresse, je me méfiais.

L'INTERROGATEUR : Vous teniez donc à ne pas la perdre?

PIERRE : Oui, malgré tout, même après les premiers temps du mariage.

L'INTERROGATEUR : Vous ne lui avez jamais parlé de l'agent de Cahors?

PIERRE : Non.

L'INTERROGATEUR : Elle vous avait demandé de ne pas le faire?

PIERRE : Non. Mais pour m'entendre dire qu'elle l'aimait encore, ce n'était pas la peine.

L'INTERROGATEUR : Vous êtes d'un caractère à éviter de parler de ce qui vous fait souffrir?

PIERRE : Oui, je suis comme ça.

Un temps.

L'INTERROGATEUR : Vous saviez qu'elle avait essayé de se tuer à cause de lui? Qu'elle s'était jetée dans un étang?

PIERRE : Je l'ai appris deux ans après notre mariage.

L'INTERROGATEUR : Comment?

PIERRE : À ce moment-là j'étais militant dans un parti politique. Je voulais me présenter aux élections municipales. Ce souvenir est lié à la politique parce que c'est un copain originaire de Cahors qui l'avait su par hasard qui me l'avait dit. Dans le parti on avait très peu de conversations personnelles. On a vite parlé d'autre chose.

L'INTERROGATEUR : Vous ne lui en avez pas parlé, à elle?

PIERRE : Non.

L'INTERROGATEUR : Votre attitude avec elle n'a pas été modifiée?

PIERRE : Si, dans le mauvais sens, forcément. Je savais qu'elle ne se serait pas tuée si moi je l'avais quittée.

L'INTERROGATEUR : Avant de l'apprendre, est-ce que vous auriez pensé que c'était une femme capable de se suicider?

PIERRE : Ça ne m'a pas tellement frappé de l'apprendre. Alors c'est que je devais l'en croire capable. Mais pour ce qu'elle vient de faire, non, bien entendu.

L'INTERROGATEUR : Vous êtes sûr?

PIERRE : ...

L'INTERROGATEUR : Pourquoi ne l'avez-vous jamais quittée?

PIERRE : Elle tenait mal la maison mais très vite Marie-Thérèse est venue et ça n'a plus été un problème. *(Un temps.)* Il y a eu une période où je l'aimais encore trop pour la quitter – même si je souffrais de son indifférence. Ensuite, quand j'ai eu d'autres femmes, cette indifférence, au lieu de me faire souffrir, me charmait. Elle avait encore des moments de coquetterie. Elle jouait à être une visiteuse. Longtemps elle a gardé un sourire très jeune. Et puis un jour ça a été fini.

L'INTERROGATEUR : Vous êtes marié sous le régime de la séparation de biens?

PIERRE : Oui. De mon fait à moi.

Elle avait le revenu d'une maison à Cahors.

L'INTERROGATEUR : Aviez-vous peur de ce qu'elle aurait fait si vous l'aviez quittée?

PIERRE : Non. Elle serait sans doute retournée à Cahors. Il n'y aurait pas eu de quoi avoir peur.

L'INTERROGATEUR : Il n'a jamais été question de divorce entre vous?

PIERRE : Non.

Peut-être que je n'ai jamais rencontré de femme que j'aime assez pour la quitter, elle. J'ai cru le contraire une ou deux fois mais maintenant je sais que je n'ai jamais aimé aucune femme comme je l'ai aimée elle.

L'INTERROGATEUR : Elle ne le sait pas.

PIERRE : Non.

L'INTERROGATEUR : Vous connaissiez l'existence de cet autre homme avant de vous marier avec elle?

PIERRE : Oui. On ne peut pas empêcher une femme de trente ans d'avoir un passé. Et puis je voulais l'avoir à moi, j'aurais passé sur n'importe quoi pour l'avoir.

L'INTERROGATEUR : Vous auriez pu éviter de vous marier avec elle.

PIERRE : Je n'y ai pas pensé.

Il y a maintenant vingt-quatre ans, comme dans une autre vie.

L'INTERROGATEUR : Vous regrettez de l'avoir épousée quand vous pensez à votre existence?

PIERRE : Je regrette tout ce que j'ai fait.

L'INTERROGATEUR : Mais elle plus que le reste?

PIERRE : J'ai eu avec elle des moments de bonheur personnel que personne ne pourrait regretter.

À travers tout ce que je peux vous dire, c'est à elle seulement que vous vous intéressez, n'est-ce pas?

L'INTERROGATEUR : Oui.

PIERRE : À cause de ce crime?

L'INTERROGATEUR : C'est-à-dire que ce crime a fait que je m'intéresse à elle.

PIERRE : Pourquoi?

L'INTERROGATEUR : Parce que c'est quelqu'un qui ne s'est jamais accommodé de la vie.

Un temps.

PIERRE : Ce que je vous dis d'elle vous amène-t-il vers une explication du crime?

L'INTERROGATEUR : Vers plusieurs explications, différentes de celles qui m'étaient venues à l'esprit avant de vous entendre. Mais je n'ai pas le droit d'en retenir une seule dans le texte qui est en train de se faire.

PIERRE : Ça ne sert à rien, ce sont des mots. On ne peut pas revenir en arrière.

L'INTERROGATEUR : Ce que vous venez de dire là : « Ce sont des mots. On ne peut pas revenir en arrière » fait partie de votre langage habituel, n'est-ce pas?

PIERRE : Il me semble, oui, j'ai parlé comme d'habitude. Comme un imbécile.

L'INTERROGATEUR : Pourquoi dites-vous ça? Vous le dites machinalement comme vous avez dit l'autre phrase?

PIERRE : Oui, c'est vrai.

L'INTERROGATEUR : Elle ne parle jamais de cette façon j'imagine?

PIERRE : Non. Elle ne fait jamais de réflexions sur la vie.

Est-ce que je vous apprends quelque chose sur elle?

L'INTERROGATEUR : Et moi?

PIERRE : ...

L'INTERROGATEUR : Je ne comprends pas pourquoi vous êtes resté vingt-deux ans avec elle.

PIERRE : Avec elle j'étais libre. Cette liberté-là je ne l'aurais eue avec personne d'autre. Personne. Je sais que ce ne sont pas des motifs très brillants mais c'est la vérité. Je me disais que si je l'avais trompée, elle, elle que j'avais tellement aimée, j'aurais trompé les autres encore bien davantage mais beaucoup moins librement. Et puis longtemps elle m'a plu, c'était plus fort que moi. Une fois, dans ce parti politique, j'ai rencontré une femme avec qui j'aurais aimé vivre. Elle était libre. Elle m'a attendu deux ans.

Je disais à Claire que j'allais en déplacement et c'était avec l'autre que j'étais. Une fois nous sommes allés sur la Côte d'Azur. Quinze jours. À Nice. Il était entendu qu'après ce voyage je devais décider soit de quitter Claire, soit de rompre avec cette femme. J'ai rompu.

L'INTERROGATEUR : Pourquoi?

PIERRE : Peut-être parce qu'elle était jalouse. Toutes les confidences que je lui avais faites sur Claire, elle s'en était servie ensuite pour l'accabler. Ça m'a dégoûté.

L'INTERROGATEUR : Vous n'avez jamais été tenté... Il n'y a jamais rien eu entre Marie-Thérèse Bousquet et vous?

PIERRE : Mettons que ça m'ait traversé l'esprit quelquefois, mais sans plus. Je ne suis pas un homme à avoir des histoires de ce genre.

L'INTERROGATEUR : Des histoires de ce genre?...

PIERRE : Oui, avec quelqu'un qui travaillait chez moi et qui, de plus, était la cousine de ma femme.

C'était très facile avec Marie-Thérèse, on a dû vous le dire?

L'INTERROGATEUR : On m'a dit qu'on l'avait souvent vue avec des Portugais, le soir, dans la forêt. Mais elle n'a jamais eu d'aventure suivie?

PIERRE : Non. A ma connaissance, non. Elle était heureuse ici, je crois.

Un temps.

L'INTERROGATEUR : Si on vous demandait quel rôle vous avez eu dans la vie de Claire Bousquet, que répondriez-vous?

Un temps.

PIERRE : Je ne me suis jamais posé la question.

L'INTERROGATEUR, *lent* : C'est une question qui n'a pas grand sens. Mais on peut quand même y répondre.

Un temps.

PIERRE : Je ne vois pas le rôle que j'ai eu dans sa vie.

L'INTERROGATEUR : Que serait-elle devenue si vous ne l'aviez pas épousée?

PIERRE : Un autre homme l'aurait épousée. Elle aurait eu la même vie. Elle aurait découragé tous les hommes comme elle m'a découragé. Ils l'auraient sans doute quittée, eux, mais elle en aurait retrouvé d'autres. De cela je suis sûr.

Vous vous souvenez, je vous ai dit qu'elle m'avait menti sur certaines choses de son passé?

L'INTERROGATEUR : Oui.

PIERRE : C'était justement sur ce point qu'avant notre rencontre elle avait eu beaucoup d'amants.

L'INTERROGATEUR : Tout de suite après son suicide?

PIERRE : Oui, pendant deux ans. Je l'ai appris après le mariage.

L'INTERROGATEUR : Elle vous a menti? Ou elle ne vous en a pas parlé?

PIERRE : Elle ne m'en a pas parlé comme ç'aurait été normal et ensuite, quand je l'ai questionnée, elle a nié.

L'INTERROGATEUR : Donc, il vous est arrivé de lui parler de son passé?

PIERRE : Cette fois-là, oui.

L'INTERROGATEUR : Après, plus jamais?

PIERRE : Non. Un rôle dans sa vie...

Silence.

PIERRE : Si personne ne l'avait épousée, elle aurait continué à coucher avec tout le monde jusqu'à la vieillesse, et alors? Je n'ai pas de préjugés comme les putains ou les femmes qui font la vie. Ça n'aurait pas été plus mal.

L'INTERROGATEUR : Ç'aurait été mieux?

PIERRE : Oh, vous savez, même avec l'agent de Cahors je suis sûr qu'elle n'avait pas d'idées sur la vie qu'elle aurait voulu avoir avec lui, je veux dire sur une façon de vivre plutôt qu'une autre qu'elle aurait choisie.

L'INTERROGATEUR : Les gens de Viorne, les commerçants, vos voisins, disent qu'il n'y avait, apparemment, jamais de drames entre vous.

PIERRE : C'est vrai, jamais. – Même pas.

Qu'est-ce qu'ils disent d'autre?

L'INTERROGATEUR : Ils disent que vous aviez, effectivement, des liaisons avec d'autres femmes, et même avec des femmes de Viorne. Que votre femme l'admettait.

Avant l'arrivée de Marie-Thérèse Bousquet, elle s'occupait quand même un peu de votre ménage?

PIERRE : Oui mais sans goût, vous voyez. Elle nettoyait très bien. La cuisine, elle n'a jamais su la faire.

Un temps.

L'INTERROGATEUR : Après l'arrivée de Marie-Thérèse que faisait-elle dans la maison?

PIERRE : De moins en moins de choses chaque année.

L'INTERROGATEUR : Mais quoi?

PIERRE : Elle faisait sa chambre. Uniquement. Elle l'a toujours faite, très bien, à fond, tous les jours. – Trop.

Elle faisait sa toilette. Ça lui prenait au moins une heure le matin.

Pendant des années, elle s'est beaucoup promenée, soit à Viorne, soit à Paris. – Elle allait au cinéma à Paris.

Ou bien elle allait voir Alfonso couper du bois. – Elle regardait la télévision. Elle lavait ses affaires, elle ne voulait pas que Marie-Thérèse les touche. Qui sait ce qu'elle faisait encore? elle était dans ce jardin et puis? on ne sait plus. Depuis des années, dès le printemps, elle était dans ce jardin, sur le banc. – Je sais que c'est difficile à croire mais c'est vrai.

L'INTERROGATEUR : Marie-Thérèse faisait très bien la cuisine?

PIERRE : À mon avis, c'était une excellente cuisinière.

L'INTERROGATEUR : Sa cuisine était meilleure qu'aucune autre?

PIERRE : Oui, j'étais souvent dehors, je pouvais comparer. C'était chez moi que je mangeais le mieux.

L'INTERROGATEUR : Votre femme appréciait-elle la cuisine de sa cousine?

PIERRE : Je crois, oui. Elle n'a jamais rien dit là-dessus.

L'INTERROGATEUR : Rien, vous êtes sûr?

Silence.

PIERRE : Sûr. Pourquoi?

L'INTERROGATEUR : Jamais Marie-Thérèse Bousquet n'a pris de vacances?

PIERRE : Elle n'était pas domestique chez nous, ne confondez pas, elle aurait voulu s'en aller quinze jours, elle aurait pu. Elle était tout à fait libre.

L'INTERROGATEUR : Mais elle ne l'a jamais fait?

PIERRE : Non jamais. La vraie maîtresse de maison c'était elle.

L'INTERROGATEUR : Depuis vingt et un ans Claire, votre femme, mangeait donc la cuisine de Marie-Thérèse Bousquet; à l'exclusion de toute autre?

PIERRE : Oui, pourquoi?

C'était une cuisine très bonne, variée, saine.

L'INTERROGATEUR : Il n'y avait jamais de drame non plus entre les deux femmes?

PIERRE : Non. Bien sûr, je ne pourrais pas tout à fait vous l'affirmer, je les laissais toute la journée seules et souvent plusieurs jours d'affilée – mais je ne crois pas.

L'INTERROGATEUR : Cherchez bien.

PIERRE : Je cherche.

Non, je ne vois rien.

L'INTERROGATEUR : Comment Claire en parlait-elle?

PIERRE : Normalement. Une fois, elle m'a appelé et elle l'a montrée du doigt de loin, de la porte de la cuisine. Elle riait. Elle m'a dit : « Regarde-la, de dos elle ressemble à un petit bœuf. » On a ri sans méchanceté. C'était vrai.

Quelquefois, l'hiver, je les retrouvais le soir en train de jouer aux cartes toutes les deux. Non, tout allait bien.

L'INTERROGATEUR : Cette entente est très rare, entre des gens qui habitent ensemble.

PIERRE : Je sais. Il aurait mieux valu qu'il en soit autrement.

L'INTERROGATEUR : Vous le pensez vraiment?

PIERRE : Oui. J'ai peut-être été bercé par ce calme. Ailleurs que chez moi je dormais mal, je trouvais qu'on parlait trop, que ce n'était pas propre. On dirait que je viens de me réveiller.

L'INTERROGATEUR : Vous avez dit tout à l'heure que Marie-Thérèse surveillait Claire. Vous avez ajouté : gentiment.

PIERRE : Surtout les derniers temps, oui, c'était nécessaire. Claire faisait parfois des... bêtises, qui auraient pu être dangereuses. Marie-Thérèse me prévenait. Je l'envoyais dans sa chambre ou dans le jardin. Le mieux c'était de la laisser seule.

L'INTERROGATEUR : Quand vous n'étiez pas là qui l'envoyait dans sa chambre?

PIERRE : Marie-Thérèse.

L'INTERROGATEUR : Et le calme de la maison n'en était pas dérangé pour autant?

PIERRE : On pensait qu'il aurait été dérangé si on l'avait laissée faire.

L'INTERROGATEUR : Quoi par exemple?

PIERRE : Elle brûlait tous les journaux à la fois dans la cheminée. Elle cassait des choses, des assiettes, souvent. Elle cachait, elle enterrait. Sa montre, son alliance qu'elle prétendait avoir perdues, je suis sûr qu'elles sont dans le jardin. Elle découpait aussi. Une fois, elle a découpé ses couvertures. Mais il suffisait de ne pas laisser traîner les allumettes, les ciseaux, c'est tout.

L'INTERROGATEUR : Mais quand Marie-Thérèse était absente?

PIERRE : Nous ne la laissions jamais seule dans la maison. Nos chambres étaient fermées à clef. Elle aurait fouillé partout.

L'INTERROGATEUR : Pour trouver quoi?

PIERRE : Ça c'était la folie, la vraie. Pour trouver ce qu'elle appelait « des traces », qu'il fallait faire disparaître.

L'INTERROGATEUR : La nuit, rien n'était fermé?

PIERRE : Il me semble que, parfois, Marie-Thérèse fermait la cuisine. Lorsqu'elle passait la nuit avec des Portugais, peut-être.

L'INTERROGATEUR : Elle les recevait dans sa chambre?

PIERRE : Ça a dû arriver. Une fois monté dans ma chambre je ne m'occupais plus de ce qui se passait en bas. J'estime que Marie-Thérèse était libre de recevoir qui elle voulait.

L'INTERROGATEUR : Vous n'avez rien entendu la nuit du crime?

PIERRE : Ma chambre était au second étage. J'entendais à peine les bruits du rez-de-chaussée.

L'INTERROGATEUR : Vous n'avez rien entendu?

PIERRE : J'ai entendu quelque chose comme un bruit de porte.

L'INTERROGATEUR : Donc vous n'avez rien entendu la nuit du crime.

PIERRE : Il n'y a pas eu de cris.

L'INTERROGATEUR : Et maintenant, vous avez quitté votre maison?

PIERRE : Oui. J'ai pris une chambre à l'hôtel des Voyageurs.

L'INTERROGATEUR : Vous êtes retourné au Balto?

PIERRE : Non. Je vais au bar de l'hôtel.

L'INTERROGATEUR : Pourquoi n'y êtes-vous pas retourné?

PIERRE : Je veux rompre avec mon passé, même avec les bonnes choses.

L'INTERROGATEUR : Que comptez-vous faire, vous y avez pensé?

PIERRE : Je vais vendre la maison. Je vais aller vivre ailleurs. Dans le Midi.

Silence.

Elle était indifférente, mais elle n'était pas cruelle, n'est-ce pas?

PIERRE : Jeune fille, elle était très douce au contraire. Je crois qu'elle l'était restée.

L'INTERROGATEUR : Quels étaient les sentiments de Marie-Thérèse à son égard?

PIERRE : Elle devait bien l'aimer. Mais elle s'en occupait moins que de moi. Claire ne pousse pas les gens à s'occuper d'elle.

L'INTERROGATEUR : À parler d'elle comme nous le faisons, il ne vous apparaît pas que certaines choses auraient pu être évitées?

PIERRE : Un autre que moi, plus attentif, plus sensible aurait peut-être compris qu'elle allait à la catastrophe. Mais je crois qu'il n'aurait pas pu l'empêcher de se produire.

L'INTERROGATEUR : Vous ne vous souvenez de rien qui aurait pu annoncer le crime ces dernières années?

PIERRE : De rien, non.

Parce que, à mon avis, voyez, une minute avant de la tuer elle ne pensait pas qu'elle allait la tuer. Vous ne croyez pas?

Un temps.

L'INTERROGATEUR : Elle ne vous avait pas demandé de renseignements sur le recoupement ferroviaire?

PIERRE : Non. Contrairement à ce qu'on croit, cette solution elle a dû la trouver sur le moment. Elle cherche la nuit dans Viorne, avec son sac elle va vers le Pont de la Montagne Pavée, un train passe et – voilà – elle trouve. Je la vois comme si j'y étais.

L'INTERROGATEUR : La tête, vous n'avez aucune idée?

PIERRE : Aucune. J'ai cherché à tout hasard dans le jardin. Rien.

L'INTERROGATEUR : Qu'est-ce que vous diriez sur les raisons?

PIERRE : Je dirais la folie. Je dirais qu'elle était folle depuis toujours. Que sa folie se montrait à elle quand elle était seule dans sa chambre, dans le jardin surtout. Là des choses terribles devaient lui traverser l'esprit. Ce qu'il aurait fallu c'est interroger cet homme, l'agent de Cahors. Mais il est mort l'année dernière.

L'INTERROGATEUR : Elle le sait?

PIERRE : Je ne crois pas. Non.

Ils se connaissaient depuis l'enfance. Et ce qu'elle était à vingt ans, lui seul pouvait le dire.

À bien réfléchir, remarquez que je ne vois pas qu'elle ait beaucoup changé depuis que je la connais. Comme si la folie l'avait conservée jeune.

L'INTERROGATEUR : Comment imaginer à partir de ce qu'elle est aujourd'hui comment elle a pu avoir un si grand amour avec cet homme de Cahors?

PIERRE : Seule, de son côté, sans doute. Comme le reste.

Un temps.

L'INTERROGATEUR : Elle s'ennuyait?

PIERRE : Non. Elle ne s'ennuyait pas. Que pensez-vous?

L'INTERROGATEUR : Comme vous, je crois qu'elle ne s'ennuyait pas.

Vous savez, il paraît qu'elle parle beaucoup quand on l'interroge.

PIERRE : Tiens. Mais c'est possible.

Silence.

Je dois vous dire que lorsqu'elle a jeté le transistor dans le puits, j'ai demandé au docteur de venir la voir. Il devait passer cette semaine.

L'INTERROGATEUR : Elle avait aussi jeté vos lunettes dans le puits?

PIERRE : Oui. Les siennes aussi.

L'INTERROGATEUR : Comment le savez-vous?

PIERRE : Je l'ai vue de la fenêtre de ma chambre.

Et elle a dû jeter la clef de la cave. On ne l'a jamais retrouvée.

L'INTERROGATEUR : Pourquoi à votre avis a-t-elle jeté les lunettes?

PIERRE : J'ai pensé que c'était pour m'empêcher de lire le journal, donc d'apprendre qu'il y avait eu un crime à Viorne. Maintenant je crois qu'elle avait une autre raison.

L'INTERROGATEUR : Pour que le désastre soit complet aussi?

PIERRE : Pour qu'il soit enfermé est le mot qui me vient.

Elle avait traîné le poste de télévision dans le couloir, contre la porte de la chambre de Marie-Thérèse et elle l'avait recouvert d'une vieille jupe à elle. Je l'ai remis où il était. Elle ne s'en est même pas aperçue. Le lendemain elle était arrêtée.

L'INTERROGATEUR : Si quelqu'un dans Viorne était susceptible de deviner ce qu'elle avait fait qui était-ce?

PIERRE : Si Alfonso avait été intelligent il l'aurait deviné. Il était sans doute plus près d'elle que n'importe qui d'autre dans Viorne.

L'INTERROGATEUR : Vous n'avez pas de papiers écrits par elle, même il y a longtemps?

PIERRE : Non, je n'ai rien.

L'INTERROGATEUR : Nous n'avons pas le moindre papier écrit par elle.

PIERRE : Il y a deux ou trois ans, j'ai trouvé des brouillons de ces lettres qu'elle écrivait aux journaux. C'était à peine lisible, criblé de fautes. Je les ai jetés.

L'INTERROGATEUR : De quoi s'agissait-il?

PIERRE : Elle demandait des conseils pour la menthe anglaise, comment la garder dans la maison, l'hiver. La menthe, elle écrivait ça comme amante, un amant, une amante.

Mais elle a écrit sur le corps?

L'INTERROGATEUR : Oui. Toujours les deux mêmes mots. Sur les murs aussi : le mot Alfonso sur un mur. Et sur l'autre mur le mot Cahors. Sans faute.

PIERRE, *lent* : Alfonso. Cahors.

L'INTERROGATEUR : Oui.

PIERRE : Oui.

L'INTERROGATEUR : Vous avez encore quelque chose à dire sur le crime?

PIERRE : C'est très difficile de vous exprimer ce que je crois.

Je crois que si Claire n'avait pas tué Marie-Thérèse, elle aurait fini par tuer quelqu'un d'autre.

L'INTERROGATEUR : Vous?

PIERRE : Oui. Puisqu'elle allait vers le crime, peu importe qui était au bout, Marie-Thérèse ou moi...

L'INTERROGATEUR : La différence entre Marie-Thérèse et vous quelle était-elle?

PIERRE : Moi je l'aurais entendue venir.

L'INTERROGATEUR : Qui aurait-elle dû tuer dans la logique de sa folie?

PIERRE : Moi.

L'INTERROGATEUR : Vous venez de dire Marie-Thérèse ou moi.

PIERRE : Je viens de découvrir le contraire – là – maintenant.

L'INTERROGATEUR : Pourquoi vous?

PIERRE : Je le sais.

L'INTERROGATEUR : Comment êtes-vous à l'hôtel?

PIERRE : Pas mal.

Vous avez dans l'idée que j'ai souhaité ce drame qui me débarrasse de Claire n'est-ce pas?

L'INTERROGATEUR : Oui.

PIERRE : Mais qui m'aurait soigné, qui aurait continué à faire la cuisine après la mort de Marie-Thérèse?

L'INTERROGATEUR : Une troisième femme. Vous l'avez dit.

C'est ce qui va se passer. Vous allez acheter une nouvelle maison et prendre une domestique.

PIERRE : C'est vrai, oui.

Je vous demande de continuer. Je voudrais que vous alliez jusqu'au bout de votre pensée. Je suis prêt à tout croire, et des autres et de moi.

L'INTERROGATEUR : Je crois que vous ne souhaitiez pas seulement vous débarrasser de Claire, mais aussi de Marie-Thérèse – vous deviez souhaiter que les deux femmes disparaissent de votre vie, afin de vous retrouver seul. Vous avez dû rêver de la fin d'un monde. C'est-à-dire du recommencement d'un autre. Mais qui vous aurait été donné.

CLAIRE LANNES

L'INTERROGATEUR : Claire Lannes, vous habitez Viorne depuis quand?

CLAIRE : Depuis que j'ai quitté Cahors – à part deux ans à Paris.

L'INTERROGATEUR : Depuis votre mariage avec Pierre Lannes.

CLAIRE : Oui, c'est ça.

L'INTERROGATEUR : Vous n'avez pas d'enfants?

CLAIRE : Non.

L'INTERROGATEUR : Vous ne travaillez plus?

CLAIRE : Non.

L'INTERROGATEUR : Quel était votre dernier travail?

CLAIRE : Femme de service à la communale. On rangeait les classes.

L'INTERROGATEUR : Vous avez reconnu être

l'auteur du meurtre de Marie-Thérèse Bousquet, votre cousine.

CLAIRE : Oui.

L'INTERROGATEUR : Vous reconnaissez aussi n'avoir eu aucun complice?

CLAIRE : ...

L'INTERROGATEUR : Avoir agi seule?

CLAIRE : Oui.

L'INTERROGATEUR : Vous persistez à dire que votre mari ignorait tout de ce que vous avez fait?

CLAIRE : Il ne s'est jamais réveillé. Je ne comprends pas ce que vous voulez.

L'INTERROGATEUR : Parler avec vous.

CLAIRE : Du crime?

L'INTERROGATEUR : Oui.

CLAIRE : Ah.

L'INTERROGATEUR : Nous allons commencer par ces trajets la nuit, entre chez vous et le Pont de la Montagne Pavée. Vous voulez bien?

CLAIRE : Oui.

L'INTERROGATEUR : Avez-vous rencontré quelqu'un pendant ces trajets?

CLAIRE : Je l'ai dit au juge. Une fois j'ai rencontré Alfonso. C'est un homme qui coupe du bois à Viorne.

L'INTERROGATEUR : Je sais.

CLAIRE : Il était sur la route, assis sur une pierre, à fumer. On s'est dit bonsoir.

L'INTERROGATEUR : Quelle heure était-il?

CLAIRE : Entre deux heures et deux heures et demie du matin je crois.

L'INTERROGATEUR : Il n'a pas eu l'air étonné? Il ne vous a pas demandé ce que vous faisiez là?

CLAIRE : Non, lui-même était sur la route, alors.

L'INTERROGATEUR : À quoi faire d'après vous?

CLAIRE : À attendre le jour peut-être.

L'INTERROGATEUR : Vous ne trouvez pas extraordinaire qu'il ne vous ait pas posé de questions?

CLAIRE : Non.

L'INTERROGATEUR : Il ne vous a pas fait peur quand vous l'avez vu?

CLAIRE : Non. Qui êtes-vous, un autre juge?

L'INTERROGATEUR : Non.

CLAIRE : Est-ce que je suis obligée de vous répondre?

L'INTERROGATEUR : Non. Pourquoi, cela vous ennuie de répondre?

CLAIRE : Non, je veux bien répondre aux questions sur le crime et sur moi.

L'INTERROGATEUR : Vous avez dit au juge ceci : « Un jour, Marie-Thérèse Bousquet faisait la cuisine... » vous n'avez pas fini la phrase et je vous demande de la finir avec moi.

CLAIRE : Je veux bien... Elle faisait la cuisine, c'était le soir, je suis rentrée dans la cuisine, je l'ai vue de dos et j'ai vu qu'elle avait comme une tache sur le cou, là.

Qu'est-ce qu'ils vont me faire?

L'INTERROGATEUR : On ne sait pas encore.

C'est tout ce que vous vouliez dire sur ce jour-là?

CLAIRE : Quand elle était morte la tache était encore là, sur le cou. Je me suis rappelée l'avoir vue avant.

L'INTERROGATEUR : Pourquoi en avez-vous parlé au juge?

CLAIRE : Parce qu'il me demandait des dates. J'ai essayé de me rappeler quand et quand. Entre les deux moments où j'ai vu cette tache il a dû se passer quelques nuits peut-être.

L'INTERROGATEUR : Pourquoi n'avez-vous pas fini cette phrase avec le juge?

CLAIRE : Parce que ça n'avait rien à voir avec le crime. Je m'en suis aperçue au milieu de ma phrase.

L'INTERROGATEUR : Vous n'aviez jamais vu cette tache avant?

CLAIRE : Non. Je l'ai vue parce qu'elle venait de changer sa coiffure. Son cou était à l'air.

L'INTERROGATEUR : Cette coiffure changeait-elle aussi son visage?

CLAIRE : Non, pas son visage.

L'INTERROGATEUR : Quand était-ce?

CLAIRE : Il faisait encore froid.

L'INTERROGATEUR : Qui était Marie-Thérèse Bousquet?

CLAIRE : C'était une cousine à moi. Elle était sourde et muette de naissance. Il avait bien fallu lui trouver quelque chose à faire. Elle était très forte. Elle était toujours contente.

On m'a dit que du moment que je suis une femme on va seulement me mettre en prison pour le restant de mes jours.

L'INTERROGATEUR : Vous trouvez juste ou injuste d'être enfermée?

CLAIRE : Juste. Et injuste.

L'INTERROGATEUR : Pourquoi injuste?

CLAIRE : Parce que. Ce n'est pas la peine d'expliquer.

L'INTERROGATEUR : Pour votre mari vous ne trouvez pas ça injuste? Je veux dire de votre part?

CLAIRE : Non, pas vraiment. C'est mieux que la mort. Et puis...

L'INTERROGATEUR : Quoi?

CLAIRE : Je n'aimais pas tellement cet homme, Pierre Lannes.

L'INTERROGATEUR : Pourquoi avait-il fait venir Marie-Thérèse Bousquet?

CLAIRE : Pour aider. Et ça ne coûtait rien.

L'INTERROGATEUR : Ce n'était pas pour faire la cuisine?

CLAIRE : Quand il l'a fait venir, non, il ne savait pas qu'elle faisait bien la cuisine. C'est parce que ça ne coûtait rien. Après seulement il a commencé à lui donner de l'argent.

L'INTERROGATEUR : Vous dites toujours que vous avez tout dit à la justice mais ce n'est pas tout à fait vrai.

CLAIRE : Vous me questionnez pour savoir ce que je n'ai pas dit?

L'INTERROGATEUR : Non. Vous me croyez?

CLAIRE : Je veux bien vous croire. J'ai tout dit sauf pour la tête.

Quand j'aurai dit où est la tête, j'aurai tout dit.

L'INTERROGATEUR : Quand le direz-vous?

CLAIRE : Je ne sais pas. Pour la tête j'ai fait ce qu'il fallait. J'ai eu du mal. Encore plus que pour le reste.

Je ne sais pas si je dirai où est la tête.

L'INTERROGATEUR : Pourquoi pas?

CLAIRE : Pourquoi?

L'INTERROGATEUR : Ce n'est que lorsque la tête sera retrouvée qu'on sera tout à fait sûr que c'est bien elle qui a été tuée.

CLAIRE : Avec seulement ses mains retrouvées ce serait suffisant. On les reconnaît. Demandez à mon mari.

L'INTERROGATEUR : Sans dire où vous l'avez cachée, pouvez-vous dire quand vous l'avez cachée.

CLAIRE : Je me suis occupée de la tête en dernier, une nuit. Quand tout a été fini. J'avais cherché très longtemps quoi en faire. Je ne trouvais pas. Alors, je suis allée jusqu'à Paris. Je suis descendue à la porte d'Orléans. J'ai marché jusqu'à ce que je trouve et j'ai trouvé. Alors je suis devenue tranquille. Je ne comprends pas ce que vous voulez.

Qu'est-ce qu'il a dit de moi mon mari?

L'INTERROGATEUR : Plutôt du bien. Il a dit que vous aviez changé depuis quelque temps. Que vous parliez très peu. Un jour vous lui avez dit que Marie-Thérèse Bousquet ressemblait à une bête.

CLAIRE : J'ai dit « à un petit bœuf ». Si vous

croyez que c'est parce que je l'ai dit que je l'ai tuée, vous vous trompez. Je l'aurais su.

L'INTERROGATEUR : Comment?

CLAIRE : Au moment où le juge m'en a parlé.

L'INTERROGATEUR : Vous n'avez pas rêvé une fois que vous étiez une autre personne?

CLAIRE : Mais non.

J'ai rêvé ce que j'ai fait. Mais, très longtemps avant. Je l'ai dit à mon mari. Il m'a dit que ça lui était arrivé aussi, que tout le monde rêvait de crime.

L'INTERROGATEUR : Avez-vous dit au juge que vous étiez comme dans un rêve lorsque vous avez tué Marie-Thérèse Bousquet?

CLAIRE : Non. On me l'a demandé et j'ai dit que ç'avait été pire.

L'INTERROGATEUR : Pourquoi pire qu'un rêve?

CLAIRE : Parce que je ne rêvais pas.

Qu'est-ce que vous voulez savoir?

L'INTERROGATEUR : J'essaie de savoir pourquoi vous avez tué Marie-Thérèse Bousquet.

CLAIRE : Pourquoi?

L'INTERROGATEUR : Pour le savoir, moi.

CLAIRE : C'est votre métier?

L'INTERROGATEUR : Non.

CLAIRE : Vous ne faites pas ça tous les jours? et avec tout le monde?

L'INTERROGATEUR : Non.

CLAIRE : Alors, écoutez-moi. Il y a eu deux choses : la première c'est que j'ai rêvé que je la tuais. La deuxième c'est que lorsque je l'ai tuée je ne rêvais pas.

C'est ce que vous vouliez savoir?

L'INTERROGATEUR : Non.

CLAIRE : Si je savais comment répondre je le ferais. Je n'arrive pas à mettre de l'ordre dans mes idées.

L'INTERROGATEUR : Peut-être y arriverons-nous quand même?

CLAIRE : Peut-être.

Si j'y arrivais, qu'est-ce qu'on me ferait?

L'INTERROGATEUR : Cela dépendrait de vos raisons.

CLAIRE : Je sais que plus les criminels sont clairs dans ce qu'ils disent plus on les tue.

Alors, qu'est-ce que vous me répondez à ça?

L'INTERROGATEUR : Que malgré ce risque vous avez envie que toute la lumière soit faite.

CLAIRE : C'est vrai ça.

Je dois dire que j'ai rêvé que je tuais tous les gens avec qui j'ai vécu y compris l'agent de Cahors, mon premier homme. Et plusieurs fois chacun. Donc, je devais arriver à le faire – vraiment, une fois.

L'INTERROGATEUR : Votre mari dit que vous n'aviez aucun motif d'en vouloir à Marie-Thérèse Bousquet, qu'elle faisait bien son travail. Que jamais, à sa connaissance, il n'y a eu de drame entre vous deux, jamais en dix-sept ans.

CLAIRE : Elle était sourde et muette, personne ne pouvait se disputer avec elle.

L'INTERROGATEUR : Mais elle ne l'aurait pas été, vous auriez eu des reproches à lui faire?

CLAIRE : Je ne peux pas le savoir.

L'INTERROGATEUR : Mais vous êtes de l'avis de votre mari sur elle?

CLAIRE : La maison lui appartenait. Je n'aurais pas pensé à trouver ce qu'elle faisait bien ou mal.

L'INTERROGATEUR : Maintenant qu'elle n'est plus là?

CLAIRE : Je vois la différence. Il y a de la poussière.

L'INTERROGATEUR : Vous préférez qu'il y ait de la poussière?

CLAIRE : C'est mieux quand c'est propre, non?

L'INTERROGATEUR : Mais vous, vous préférez quoi?

CLAIRE : La propreté tenait beaucoup de place dans la maison, elle prenait trop de place.

L'INTERROGATEUR : La propreté prenait la place de quelque chose d'autre?

CLAIRE : Peut-être?

L'INTERROGATEUR : De quoi? Dites le premier mot qui vous vient.

CLAIRE : Du temps?

L'INTERROGATEUR : La propreté prenait la place du temps, c'est bien ça?

CLAIRE : Oui.

L'INTERROGATEUR : Et la cuisine délicieuse?

CLAIRE : Encore plus.

Maintenant le fourneau est froid. Il y a de la graisse froide qui traîne sur les tables et par-dessus la graisse il y a la poussière. Les vitres, on ne voit plus à travers. Quand il y a un rayon de soleil on voit tout, poussière et gras. Il n'y a plus rien de propre, plus un verre. Toute la vaisselle a été sortie du buffet.

L'INTERROGATEUR : Vous dites : maintenant, mais vous n'y êtes pas?

CLAIRE : Je sais comment la maison est devenue.

L'INTERROGATEUR : Si ça avait continué, qu'est-ce qui se serait produit?

CLAIRE : Mais ça continue, il n'y a personne. Ça a commencé quand j'étais là. Sept jours sans faire la vaisselle.

L'INTERROGATEUR : Qu'est-ce qui va arriver?

CLAIRE : On ne verra plus rien, très vite. Il y aura de l'herbe entre les moellons; et puis il n'y aura plus la place où se mettre. Très vite. Ce ne sera plus une maison. Ça commençait à bien faire quand j'ai été arrêtée.

L'INTERROGATEUR : Vous n'avez rien fait pour arrêter ça?

CLAIRE : J'ai rien fait. Ni pour ni contre. J'ai laissé faire. On va voir jusqu'où ça va arriver.

L'INTERROGATEUR : Vous étiez en vacances?

CLAIRE : Quand?

L'INTERROGATEUR : Depuis que la maison était sale?

CLAIRE : C'est-à-dire je n'ai jamais pris de vacances. Ce n'était pas utile. J'avais tout mon temps, le traitement de mon mari est bien suffisant et de mon côté, j'ai le revenu d'une maison de Cahors.

L'INTERROGATEUR : Comment trouvez-vous la nourriture de la prison?

CLAIRE : Il faut que je dise si elle me plaît?

L'INTERROGATEUR : Oui.

CLAIRE : Elle me plaît.

L'INTERROGATEUR : Elle est bonne?

CLAIRE : Elle me plaît.

Je réponds comme vous voulez?

L'INTERROGATEUR : Oui.

CLAIRE : Vous savez, dites-le-leur, s'ils croient qu'il faut me mettre en prison pour le reste de mes jours, qu'ils le fassent, allez, allez, qu'ils le fassent.

L'INTERROGATEUR : Vous ne regrettez rien de votre vie passée?

CLAIRE : Je suis bien ici. Toute ma famille est partie. Je ne serai pas mal ici.

L'INTERROGATEUR : Mais est-ce que vous regrettez quelque chose de votre vie passée?

CLAIRE : De laquelle?

L'INTERROGATEUR : Par exemple, de celle des dernières années.

CLAIRE : Alfonso.

Alfonso et Cahors. Tout.

L'INTERROGATEUR : Elle était le dernier membre de votre famille?

CLAIRE : Pas tout à fait. Il reste son père, Alfred Bousquet. Tous les Bousquet sont morts excepté Alfred, son père. Il n'avait que cette fille, Marie-Thérèse, sourde et muette, pas de chance, sa femme est morte de chagrin.

Mon mari, je ne le compte pas.

Elle, vous comprenez, elle était de mon sang. Le nom final était le même, Cahors derrière, et on mangeait les mêmes aliments, sous le même toit, et elle était sourde et muette. On disait qu'elle était très gaie pour une sourde et muette, plus gaie qu'un être normal. Vous savez elle jouait sur le trottoir avec les chats.

L'INTERROGATEUR : La voyiez-vous différente de vous malgré son infirmité?

CLAIRE : Mais non, voyez, morte, non.

L'INTERROGATEUR : Et vivante?

CLAIRE : Vivante, elle était très grosse, elle dormait très bien tous les soirs et elle mangeait beaucoup. Quand elle mangeait, quand elle marchait, quelquefois je ne pouvais pas le supporter. Je ne l'ai pas dit au juge.

L'INTERROGATEUR : Vous pouvez essayer de dire pourquoi? Pourquoi vous ne l'avez pas dit au juge?

CLAIRE : Il se serait trompé, il aurait cru que je la détestais, je ne la détestais pas. Je n'étais pas sûre de savoir lui expliquer, j'ai préféré me taire. Ce que je vous dis là, ça a un rapport avec mon caractère, rien de plus. Je dis que j'ai un caractère à ne pas supporter les gens qui mangent beaucoup et qui dorment bien. Pas plus. Un autre aurait dormi ou mangé comme elle je ne l'aurais pas supporté pareil. Donc ce n'était pas parce que c'était elle. C'était parce que je ne le supportais de personne. Quelquefois à table je sortais dans le jardin. Des fois j'ai vomi. Surtout quand il y avait de la viande en sauce. La viande en sauce, pour moi c'est terrible, terrible. Je ne comprends pas pourquoi. Pourtant à Cahors on en mangeait souvent, quand j'étais petite, ma mère en faisait parce que c'était moins cher que la viande pure.

L'INTERROGATEUR : Pourquoi Marie-Thérèse en faisait-elle si vous n'aimiez pas ça?

CLAIRE : Elle en faisait pour en faire, elle en faisait pour lui, pour elle, pour moi, pour rien, elle en faisait.

L'INTERROGATEUR : Elle ne savait pas que vous n'aimiez pas la viande en sauce?

CLAIRE : Je ne leur ai jamais dit.

L'INTERROGATEUR : Et ils ne pouvaient pas le deviner?

CLAIRE : Non. Si je ne les regardais pas en manger eux, j'arrivais à en manger, moi.

L'INTERROGATEUR : Pourquoi ne lui avez-vous jamais dit que vous détestiez la viande en sauce?

CLAIRE : Ça... je ne sais pas.

L'INTERROGATEUR : Cherchez.

CLAIRE : Je ne pensais pas : « Je n'aime pas la viande en sauce », alors je ne pouvais pas dire : « Je n'aime pas la viande en sauce. »

L'INTERROGATEUR : C'est moi qui vous

apprends maintenant que vous auriez pu le leur dire?

CLAIRE : Peut-être. J'en ai avalé des tonnes. Je ne comprends pas très bien.

L'INTERROGATEUR : Pourquoi en mangiez-vous au lieu de la laisser?

CLAIRE : Dans un sens, ça ne me déplaisait pas de manger cette sale sauce de graisse.

Je vous ai dit que j'aimais bien le jardin? Là j'étais tranquille. Quand j'étais dans la maison je n'étais jamais sûre qu'elle ne viendrait pas m'embrasser tout d'un coup, je n'aimais pas qu'elle m'embrasse. Elle était très grosse et les pièces sont petites. Je trouvais qu'elle était trop grosse pour la maison.

L'INTERROGATEUR : Vous le lui disiez?

CLAIRE : Non.

L'INTERROGATEUR : Pourquoi?

CLAIRE : Parce que c'était seulement pour moi, moi, quand je la voyais dans la maison, qu'elle était très grosse. Autrement non. D'ailleurs ce n'était pas elle seulement. Mon mari est comme un échalas et lui, moi, je le trouvais trop haut pour la maison. Quelquefois j'allais dans le jardin pour ne pas le voir se balader sous les plafonds, c'est vous dire. Voyez, il y avait déjà des choses qui n'allaient pas dans la maison.

L'INTERROGATEUR : Dans le jardin, ils ne venaient pas?

CLAIRE : Non.

L'INTERROGATEUR : Parlez-moi de ce jardin.

CLAIRE : Il y a un banc en ciment et des pieds d'amante anglaise. C'est ma plante préférée. C'est une plante qu'on mange, qui pousse dans les îles où il y a des moutons. Je dois vous dire que quelquefois je me suis sentie très intelligente sur ce banc. À force de rester immobile, j'avais des pensées intelligentes.

L'INTERROGATEUR : Comment le saviez-vous?

CLAIRE : On le sait.

Maintenant je suis la personne que vous voyez devant vous, rien d'autre.

L'INTERROGATEUR : Qui étiez-vous dans le jardin?

CLAIRE : Celle qui reste après ma mort.

L'INTERROGATEUR : Est-ce que vous faisiez beaucoup de choses qui vous déplaisaient et vous plaisaient à la fois?

CLAIRE : Quelques-unes.

L'INTERROGATEUR : Et cela vous plaisait comment?

CLAIRE : J'y pensais après dans le jardin.

L'INTERROGATEUR : Chaque jour de la même façon.

CLAIRE : Non, jamais.

L'INTERROGATEUR : Vous pensiez à une autre maison?

CLAIRE : Non, à celle qui était là.

L'INTERROGATEUR : Mais sans eux dedans?

CLAIRE : Non, avec eux.

Je cherchais des explications, des explications auxquelles ils n'auraient jamais pensé, eux, jamais.

L'INTERROGATEUR : Des explications à quoi?

CLAIRE : Oh, à bien des choses.

Je ne sais pas à quoi j'ai passé ma vie jusqu'ici. J'ai aimé l'agent de Cahors.

Qui a intérêt à ce que j'aille en prison?

L'INTERROGATEUR : Personne, et tout le monde.

CLAIRE : Ça m'est égal. Mon mari vous a parlé de l'agent de Cahors?

L'INTERROGATEUR : Très peu.

CLAIRE : Moi telle que vous me voyez là, j'ai eu vingt-cinq ans et j'ai été aimée par cet homme superbe. Je croyais en Dieu à ce moment-là et je communiais tous les jours. Lui vivait maritalement avec une femme et d'abord je n'ai pas voulu de lui à cause de ça. Nous nous sommes aimés à la folie pendant deux ans. Je dis à la folie. C'est lui qui m'a détachée de Dieu. Je ne voyais que par lui après Dieu. Je n'écoutais que lui, il était tout pour moi et un jour il n'y a plus eu de Dieu mais lui seul. Lui seul. Et puis un jour il a menti. Le ciel s'est écroulé.

Silence. Elle pense à son suicide à cette époque.

Trois ans après, j'ai rencontré Pierre Lannes. Il m'a emmenée à Paris. Je n'ai pas eu d'enfants. Je me demande bien à quoi j'ai passé ma vie.

L'INTERROGATEUR : Vous n'avez jamais revu l'agent de Cahors?

CLAIRE : Si, une fois, à Paris. Il est venu de Cahors pour me voir. Il est arrivé chez moi. En l'absence de mon mari. Il m'a emmenée dans un hôtel près de la gare de Lyon.

Il voulait me reprendre mais c'était trop tard.

L'INTERROGATEUR : Pourquoi trop tard?

CLAIRE : Pour s'aimer comme on s'était aimés. Je me suis arrachée de lui, il ne pouvait pas me laisser. Je me suis habillée dans le noir et je me suis sauvée.

Après il me semble que j'ai moins pensé à lui. C'est dans cette chambre de la gare de Lyon qu'on s'est quittés pour toujours.

L'INTERROGATEUR : Marie-Thérèse Bousquet était déjà chez vous quand c'est arrivé?

CLAIRE : Non. Elle est venue l'année d'après. Mon mari l'a ramenée de Cahors le 7 mars 1945, elle avait dix-neuf ans. C'était un dimanche matin. Je les ai vus arriver par l'avenue. De loin, elle ressemblait à tout le monde. De près, elle ne parlait pas.

La maison était silencieuse, surtout le soir en hiver, après la sortie des écoles.

L'hiver, je ne pouvais pas aller dans le jardin. Je restais dans ma chambre.

Vous avez questionné des gens de Viorne sur le crime?

L'INTERROGATEUR : Ils disent qu'ils ne comprennent pas.

CLAIRE : Dans le car de police, j'ai oublié de regarder Viorne pour la dernière fois. On n'y pense pas. Ce que je revois, c'est la place la nuit, et Alfonso s'amène en fumant, il sourit quand j'arrive.

L'INTERROGATEUR : Des gens disent que vous aviez tout pour être heureuse. D'autres gens encore disent qu'ils s'y attendaient.

CLAIRE : Tiens.

L'INTERROGATEUR : Vous êtes malheureuse en ce moment?

CLAIRE : Non. Je suis presque, je suis sur le bord d'être heureuse. Si j'avais ce jardin je tomberais dans le bonheur complet, mais ils ne me le rendront jamais, et moi je préfère, je préfère cette tristesse.

Si j'avais mon jardin ce ne serait pas possible, ce serait trop. Non. Alors ils disent quoi?

L'INTERROGATEUR : Que vous aviez tout pour être heureuse.

CLAIRE : C'est vrai.

Dans ce jardin j'ai pensé au bonheur. Maintenant que c'est fini je ne comprends plus ce que je pensais.

L'INTERROGATEUR : Pourquoi dites-vous : « Maintenant que c'est fini? » Vous le croyez?

CLAIRE : Qu'est-ce qui commencerait? Alors, c'est fini. Pour elle qui est morte c'est fini. Pour moi qui ai fait ça, aussi.

La maison c'est fini. Ça durait depuis vingt-deux ans, maintenant c'est fini.

C'est un seul jour très long – jour – nuit et puis il y a le crime.

L'INTERROGATEUR : On se souvient de quoi?

CLAIRE : De l'hiver quand on est privé du jardin, autrement tout est pareil.

Sur ce banc je crois bien que j'ai pensé à tout.

Des gens passaient et je pensais à eux. Je pensais à Marie-Thérèse, à comment elle faisait. Je me mettais de la cire dans les oreilles. Ce n'est pas arrivé souvent, une dizaine de fois peut-être, c'est tout. Est-ce que mon mari a dit qu'il allait vendre la maison?

L'INTERROGATEUR : Je ne sais pas.

CLAIRE : Oh, il va la vendre. Et les meubles aussi, qu'est-ce que vous voulez qu'il en fasse maintenant? Il en fera une enchère dans la rue. Tout sera dehors. Les gens viendront voir les lits dans la rue. Les lits dans la rue. Ils verront la poussière et les tables pleines de gras, et la vaisselle sale. Il faudra.

Peut-être qu'il aura du mal à vendre la maison vu le crime. Peut-être qu'il la vendra au prix du terrain. Maintenant, à Viorne, ça vaut dans les sept cents francs le mètre carré; remarquez, avec le jardin, ça fera un bon morceau.

Mais l'argent, qu'est-ce qu'il en fera?

L'INTERROGATEUR : Vous, vous ne croyez pas que vous aviez tout pour être heureuse?

CLAIRE : Pour les gens qui le disent et qui le croient, je le crois. Pour d'autres non.

L'INTERROGATEUR : Lesquels?

CLAIRE : Vous.

L'INTERROGATEUR : Mais en pensant que vous n'étiez pas heureuse d'après vous, je me trompe aussi?

CLAIRE : Oui. Quand on pense à ce que c'était

avec l'agent de Cahors, on peut dire : rien n'existe à côté. Mais c'est faux. Je n'ai jamais été séparée du bonheur de Cahors, il a débordé sur toute ma vie. Ce n'était pas un bonheur de quelques années, ne le croyez pas. C'était un bonheur fait pour durer toujours. J'ai toujours eu dans l'idée d'expliquer ça à quelqu'un mais à qui parler de cet homme?

Écrire des lettres sur lui, j'aurais pu, mais à qui?

L'INTERROGATEUR : À lui?

CLAIRE : Non, lui, il n'aurait pas compris.

Non, il aurait fallu les envoyer à n'importe qui. Mais n'importe qui ce n'est pas facile à trouver. Non, pour que ce soit tout à fait compris, il aurait fallu les envoyer à quelqu'un qui n'aurait connu ni lui ni moi.

L'INTERROGATEUR : Au journal peut-être?

CLAIRE : Non. J'ai écrit au journal deux ou trois fois pour différentes raisons mais jamais pour une raison aussi grave.

L'INTERROGATEUR : Entre le jardin et le reste qu'est-ce qu'il y avait?

CLAIRE : Le moment où on commençait à sentir les odeurs de cuisine. Il n'y en avait plus que pour une heure avant le dîner, il fallait penser très vite à ce qu'il fallait parce qu'on n'avait plus qu'une heure avant la fin du monde.

Dans le jardin, vous savez, Monsieur, j'avais un couvercle de plomb au-dessus de ma tête. Les idées que j'avais auraient dû traverser ce couvercle pour... pour que je sois...

L'INTERROGATEUR : Tranquille?

CLAIRE : Oui. Mais elles n'y arrivaient que très rarement. Le plus souvent les idées restaient à grouiller. C'était si pénible que plusieurs fois j'ai pensé à me supprimer.

L'INTERROGATEUR : Mais parfois elles traversaient le couvercle de plomb?

CLAIRE : Parfois, oui, elles sortaient pour quelques jours. Oh, je savais bien qu'elles n'allaient nulle part. Mais au moment où elles sortaient, j'étais si..., le bonheur était si fort que j'aurais pu croire à la folie. Je croyais qu'on entendait, que ces pensées éclataient comme des coups de feu. Quelquefois les gens se retournaient sur le jardin comme si on les avait appelés. Je veux dire que j'aurais pu le croire.

L'INTERROGATEUR : Ces pensées avaient trait à quoi? À votre vie?

CLAIRE : À ma vie, elles n'auraient fait se retourner personne. Non, elles avaient trait à bien d'autres choses. J'ai eu des pensées sur le bonheur, sur les plantes en hiver, certaines plantes, certaines choses...

L'INTERROGATEUR : Quoi?

CLAIRE : La nourriture, la politique, l'eau, sur l'eau, les lacs froids, les fonds des lacs, les lacs du fond des lacs, sur l'eau qui boit, qui prend, qui se ferme, sur cette chose-là, l'eau, beaucoup, sur les bêtes qui se traînent sans répit, sans mains, sur ce qui va et vient, beaucoup aussi, sur la pensée de Cahors quand j'y pense, et quand je n'y pense pas, sur la télévision qui se mélange avec le reste, une histoire montée sur une autre montée sur une autre, sur le grouillement, beaucoup, grouillement sur grouillement, résultat : grouillement et caetera, sur le mélange et la séparation, beaucoup beaucoup, le grouillement séparé et non, vous voyez, détaché grain par grain mais collé aussi, sur le grouillement multiplication et division, sur le gâchis et tout ce qui se perd, et caetera et caetera, est-ce que je sais.

L'INTERROGATEUR : Sur Alfonso?

CLAIRE : Oui, beaucoup, beaucoup. Il est sans limites. Le cœur ouvert. Les mains ouvertes. La cabane vide. La valise vide. Et personne pour voir qu'il est idéal.

L'INTERROGATEUR : Sur les gens à qui il est arrivé de tuer?

CLAIRE : Oui mais je me trompais, maintenant je le sais. De ça je ne pourrais parler qu'avec quelqu'un à qui c'est arrivé aussi, qui m'aiderait, vous comprenez. Avec vous, non.

L'INTERROGATEUR : Vous auriez aimé que les autres connaissent les pensées que vous aviez dans le jardin?

CLAIRE : Oui.

J'aurais désiré les prévenir, qu'ils le sachent que j'avais des réponses pour eux. Mais comment?

L'INTERROGATEUR : En parlant?

CLAIRE : Non. Je n'étais pas assez intelligente pour l'intelligence que j'avais et dire cette intelligence que j'avais, je n'aurais pas pu. Pierre Lannes lui, par exemple, il est trop intelligent pour l'intelligence qu'il a. J'aurais voulu être complètement intelligente pendant tout ce temps de ma vie. Je n'y suis jamais arrivée. Maintenant je sais que c'est trop tard.

L'INTERROGATEUR : Ça a commencé quand?

CLAIRE : Dans les classes vides, je faisais le ménage. Il fait encore chaud des enfants, je suis là avec les chiffres au tableau, divisions comme multiplications, multiplications comme divisions, et voilà que je deviens le chiffre trois et c'était vrai.

Un temps.

CLAIRE : Sur le crime je ne sais presque rien. On a dû vous prévenir.

L'INTERROGATEUR : Pourquoi avez-vous fait ça?

CLAIRE : De quoi parlez-vous?

L'INTERROGATEUR : Pourquoi l'avez-vous tuée?

CLAIRE : Si j'avais su le dire, vous ne seriez pas là à m'interroger. Pour le reste je sais.

L'INTERROGATEUR : Le reste?

CLAIRE : Si je l'ai découpée en morceaux et que j'ai jeté ces morceaux dans des trains c'est que c'était un moyen de la faire disparaître, mettez-vous à ma place, quoi faire?

D'ailleurs on dit que ce n'était pas mal trouvé. Avant d'être prise par la police, je ne voulais pas me faire prendre par la police. Alors je l'ai fait disparaître.

L'INTERROGATEUR : Et maintenant que vous avez été prise par la police?

CLAIRE : Oh, maintenant, j'irais au poste. C'est trop fatigant, toute cette boucherie. Il vaut mieux aller au poste tout de suite. Vous savez, il y en a, on les met à dormir tout de suite au poste.

L'INTERROGATEUR : Qui vous a dit ça?

CLAIRE : C'est connu.

L'INTERROGATEUR : Vous ne savez pas pourquoi vous l'avez tuée?

CLAIRE : Je ne dirai pas ça, voyez.

L'INTERROGATEUR : Qu'est-ce que vous diriez?

CLAIRE : Ça dépend de la question.

L'INTERROGATEUR : On ne vous a jamais posé la bonne question sur ce crime?

CLAIRE : Non. Si on me l'avait posée j'aurais répondu.

L'INTERROGATEUR : Vous ne cherchez pas vous-même cette bonne question?

CLAIRE : Si, mais je ne l'ai pas trouvée. Je ne cherche pas beaucoup.

Ils m'ont fait défiler des questions, et je n'en ai reconnu aucune au passage.

L'INTERROGATEUR : Aucune?...

CLAIRE : Aucune. Ils demandent : Est-ce que c'est parce qu'elle est sourde et muette qu'elle vous tape sur les nerfs? ou bien : Est-ce que vous êtes jalouse de votre mari? ou bien : Est-ce que vous vous ennuyez?

Vous, au moins, vous n'avez rien demandé de pareil.

L'INTERROGATEUR : Qu'est-ce qu'elles ont de faux ces questions-là?

CLAIRE : Elles sont séparées.

L'INTERROGATEUR : La bonne question comprendrait toutes ces questions et d'autres encore?

CLAIRE : Peut-être. Vous, ça vous intéresse de savoir pourquoi j'ai fait ça?

L'INTERROGATEUR : Oui. Vous m'intéressez. Alors tout ce que vous faites m'intéresse.

CLAIRE : Si je n'avais pas commis ce crime, je serais encore là, dans mon jardin à me taire. Parfois ma bouche était comme le ciment du banc.

L'INTERROGATEUR : Quel serait d'après vous un exemple de bonne question? Parmi celles que vous, vous pourriez me poser?

CLAIRE : Vous poser pour quoi faire?

L'INTERROGATEUR : Par exemple, pour savoir pourquoi je vous interroge? Comment vous m'intéressez? Comment je suis?

CLAIRE : Je le sais comment je vous intéresse. Comment vous êtes, je le sais déjà un peu.

Avec Alfonso, quand il passait parler à Pierre du travail ou de n'importe quoi, j'allais derrière la porte et je l'écoutais. Pour vous ça devrait être pareil.

L'INTERROGATEUR : Je devrais parler loin de vous?

CLAIRE : Oui et à quelqu'un d'autre.

L'INTERROGATEUR : Sans savoir que vous écoutez?

CLAIRE : Sans le savoir. Il faudrait que ça arrive par hasard.

L'INTERROGATEUR : On entend mieux derrière les portes?

CLAIRE : Tout. C'est une merveille de la vie. De cette façon j'ai vu Alfonso jusqu'au fond, où lui ne voit pas.

L'INTERROGATEUR : Quelle voix avait Pierre derrière la porte?

CLAIRE : Lui, la même que devant.

Écoutez, je ne peux pas dire mieux : si vous, vous trouvez la bonne question, je vous jure de vous répondre.

L'INTERROGATEUR : Et s'il y avait une raison mais inconnaissable. Une raison ignorée?

CLAIRE : Ignorée de qui?

L'INTERROGATEUR : De tous. De vous. De moi.

CLAIRE : Où est cette raison ignorée?

L'INTERROGATEUR : En vous?

CLAIRE : Pourquoi en moi? Pourquoi pas en elle, ou dans la maison, dans le couteau? ou dans la mort? oui, dans la mort. À force de chercher sans trouver, on dira que c'est la folie, je le sais. Tant pis.

L'INTERROGATEUR : Ne pensez pas à ça.

CLAIRE : C'est vous qui y pensez. Je sais quand les gens pensent que je suis folle, au son de leur voix je le sais.

L'INTERROGATEUR : Qu'est-ce que vous faisiez dans la maison?

CLAIRE : Rien. Les courses un jour sur deux. Marie-Thérèse me donnait une liste.

L'INTERROGATEUR : Mais vous vous occupiez à quelque chose?

CLAIRE : Non.

L'INTERROGATEUR : Mais le temps passait comment?

CLAIRE : À cent à l'heure, comme un torrent.

L'INTERROGATEUR : Votre mari a dit que vous faisiez votre chambre chaque jour.

CLAIRE : Pour moi, je faisais ma chambre, je me lavais, je lavais mon linge et moi. De cette façon, j'étais toujours prête, vous comprenez, la chambre aussi. Propre et coiffée, le lit fait. Je pouvais aller dans le jardin, aucune trace derrière.

Quand même, si les autres sont folles, qu'est-ce que je vais devenir au milieu?

L'INTERROGATEUR : Votre chambre une fois faite, vous lavée, vous étiez prête à quoi?

CLAIRE : À rien, j'étais prête. Si des événements avaient dû se produire, si quelqu'un était venu me chercher, j'étais prête, si j'avais disparu, si je n'étais jamais revenue, on n'aurait rien trouvé derrière moi, pas une trace spéciale, rien que des traces pures.

Un temps.

L'INTERROGATEUR : Parlez-moi de la maison. Où étaient les chambres?

CLAIRE : Il y avait deux chambres au premier étage et au rez-de-chaussée il y avait la salle à manger et la chambre de Marie-Thérèse.

L'INTERROGATEUR : Vous vous étiez endormie avant de descendre dans sa chambre?

CLAIRE : Du moment que je n'ai pas eu besoin d'allumer l'électricité, il devait déjà faire jour. Alors j'avais dû dormir.

Je me réveillais souvent au petit jour, je traînais dans la maison.

Il y avait du soleil entre la salle à manger et le couloir.

L'INTERROGATEUR : ... La porte de sa chambre était ouverte et vous l'avez vue endormie sur le côté, elle vous tournait le dos.

CLAIRE : Oui.

L'INTERROGATEUR : Vous êtes allée à la cuisine pour boire. Vous avez regardé autour de vous.

CLAIRE : Oui. Au fond des assiettes je vois le dessin des assiettes achetées à Cahors trois jours avant le mariage. Bazar de l'Étoile 1942. Ça arrive souvent. Je sais que je vais être emportée vers les assiettes, vers ces choses-là.

Alors voilà, moi j'en ai assez. Je veux qu'on vienne et qu'on m'emmène. Je désire trois ou quatre murs, une porte de fer, lit de fer et fenêtre avec grilles et enfermer Claire Lannes là-dedans. Alors j'ouvre la fenêtre et je casse les assiettes pour qu'on entende et qu'on vienne me chercher. Mais tout à coup c'est elle qui est là dans le courant d'air, elle me regarde.

L'INTERROGATEUR : Quand était-ce? *(Il pense au crime.)*

CLAIRE : Les assiettes cassées, c'était il y a trois ans ou cinq.

L'INTERROGATEUR : Comment votre mari a-t-il pu vous croire lorsque vous lui avez dit que Marie-Thérèse était partie pour Cahors?

CLAIRE : Oh, laissez-moi un peu.

Qu'est-ce que vous voulez savoir?

L'INTERROGATEUR : Qu'est-ce que vous avez dit à votre mari quand il s'est levé?

CLAIRE : J'ai dit ce que vous venez de dire, qu'elle était partie pour Cahors. Mon mari ne m'a pas crue.

L'INTERROGATEUR : Il ne vous a posé aucune question?

CLAIRE : Aucune.

L'INTERROGATEUR : Alors qu'est-ce qu'il a cru?

CLAIRE : Je ne sais pas.

L'INTERROGATEUR : Alfonso avait deviné d'après vous?

CLAIRE : Quand je lui ai demandé de jeter la télévision dans le puits j'ai vu qu'il avait deviné. Alfonso... Il chante la Traviata en rentrant chez lui quelquefois. Autrement il coupe du bois tout le temps, quelle barbe. Il y a douze ans, j'ai eu l'espoir qu'il m'aime, Alfonso, qu'il m'emmène dans la forêt avec lui, mais cet amour ne sera jamais arrivé. Toute une nuit, une fois, je l'ai attendu, j'ai écouté tous les bruits, on aurait repris l'amour de Cahors ensemble.

L'INTERROGATEUR : Il n'est pas venu?

CLAIRE : Non. Peut-être il est mort lui aussi.

Ils vont tous dire que je suis folle maintenant. Qu'ils disent ce qu'ils veulent, eux ils sont de l'autre côté du monde.

L'INTERROGATEUR : Vous étiez de leur côté avant le crime?

CLAIRE : Non, jamais je n'ai été de ce côté-là.

L'INTERROGATEUR : Marie-Thérèse Bousquet était-elle « de l'autre côté »?

CLAIRE : À cause de son infirmité, non. Elle était sourde et muette, c'était une énorme masse de viande sourde mais quelquefois des cris sortaient de son corps.

Dans la cave j'ai mis des lunettes noires et j'ai éteint l'électricité, j'ai éteint et j'ai mis les lunettes. Je l'avais assez vue depuis cent ans.

Un temps.

Vous avez entendu ce que je viens de dire.

Je ne parle plus comme tout à l'heure.

N'allez pas croire que je ne sais pas quand ça m'arrive.

Je m'arrête de parler pour toujours.

L'INTERROGATEUR : Sur un mur de la cave on a trouvé le nom d'Alfonso écrit par vous avec un morceau de charbon. Vous vous souvenez l'avoir écrit?

CLAIRE : Non.

Peut-être que j'ai voulu l'appeler pour qu'il vienne à mon secours? Je ne pouvais pas crier, alors j'ai écrit.

Ça m'est arrivé d'écrire pour appeler.

L'INTERROGATEUR : Qui par exemple?

CLAIRE : Un homme de Cahors qui n'est pas venu.

L'INTERROGATEUR : Sur l'autre mur il y avait le mot Cahors.

CLAIRE : Tiens, voyez...

Un temps.

L'INTERROGATEUR : Vous ne pouvez pas parler de cette cave ou vous ne voulez pas?

CLAIRE : La cave n'explique rien.

Un temps.

C'était seulement des efforts fantastiques pour essayer de me débarrasser.

Comment porter un corps de quatre-vingts kilos dans un train? Comment couper un os sans la scie? On dit : « Il y avait du sang dans la cave. » Mais comment éviter, vous et moi, qu'il y ait du sang? Je mourrai avec les souvenirs de la cave. Je les emporterai avec moi.

L'INTERROGATEUR : Vous étiez prête à partir pour Cahors?

CLAIRE : Oui. La police était partout, partout dans les rues, dans les cafés, dans les cimetières, avec leurs chiens. Alors moi, je me suis dit :

« Avant qu'ils arrivent dans les caves j'ai le temps d'aller à Cahors pour quelques jours. »

Je serais allée à l'Hôtel Crystal, rue des Pyrénées à Cahors.

L'INTERROGATEUR : Pourquoi vous n'êtes pas partie?

CLAIRE : Je suis passée au Balto. On parlait du crime. Ça m'a intéressée, j'ai oublié l'heure. Ils s'entêtaient. Ils croyaient que c'était dans la forêt qu'elle avait été tuée.

L'INTERROGATEUR : Qu'est-ce que vous leur avez dit?

CLAIRE : J'ai dit à Alfonso : « Dis-leur que c'est moi. » Alors Alfonso s'est avancé au milieu du café et il a dit : « C'est Claire Lannes. » Il y a eu d'abord un silence. Puis des cris.

Et puis on m'a emmenée.

Silence.

Dans le silence l'interrogateur branche le magnétophone. Une bande se déroule. Voix enregistrées.

PIERRE : Vous savez, Monsieur, elle va revenir de Cahors Marie-Thérèse, n'est-ce pas, Claire? Vous voyez, elle ne répond pas, il faut la connaître... Mais elle m'a raconté... elles se sont quittées sur le pas de la porte. Claire est restée là jusqu'au départ du car. Claire, dis-le.

CLAIRE : Alfonso! Alfonso!

LE POLICIER : Madame, je suis là pour vous. N'ayez pas peur. Dites-nous ce que vous avez à nous dire.

PIERRE : Claire ! Claire!

Silence.

CLAIRE : Ce n'est pas dans la forêt qu'elle a été tuée, Marie-Thérèse Bousquet, c'est dans une cave à quatre heures du matin.

Silence. Arrêt de la bande. Claire est figée.

CLAIRE : Qui a dit ça?

L'INTERROGATEUR : Claire Lannes peut-être?

CLAIRE : Peut-être. J'ai reconnu la voix. Alors, qui a menti?

L'INTERROGATEUR : Aucune, toutes les deux ont dit la vérité.

CLAIRE : Ah, alors, qui ment?

L'INTERROGATEUR : Pierre Lannes peut-être?

CLAIRE : Peut-être.

Un temps.

L'INTERROGATEUR : Qu'est-ce que vous auriez fait à Cahors?

CLAIRE : Je me serais promenée dans les rues, j'aurais contemplé Cahors.

L'INTERROGATEUR : Mais lui, l'agent de Cahors, vous l'auriez recherché?

CLAIRE : Peut-être pas. Pourquoi, maintenant? Puis ils seraient venus me prendre.

L'INTERROGATEUR : Pour la tête...

CLAIRE : Ne recommencez pas avec la tête...

L'INTERROGATEUR : Je voudrais savoir quel problème elle posait pour vous?

CLAIRE : De savoir quoi en faire, où la mettre. Une tête ne se jette pas dans un train.

J'ai fait tout un enterrement pour elle. Et j'ai dit ma prière des morts, bien que l'agent de Cahors m'ait séparée de Dieu.

Voyez, j'ai fini par dire quelque chose là-dessus et je ne voulais pas.

L'INTERROGATEUR : C'est à ce moment-là de votre crime que vous avez compris que vous l'aviez tuée?

CLAIRE : Vous l'avez deviné?

Oui, c'est à ce moment-là. Vous me croyez?

L'INTERROGATEUR : Oui.

CLAIRE : Il y a eu la tache sur le cou d'abord – quand j'ai vu la tache sur le cou, elle est ressortie un peu de la mort. Puis, avec la tête, quand je l'ai vue, elle est ressortie tout à fait de la mort.

Ils devraient me décapiter moi aussi pour ce que j'ai fait. Œil pour œil. Dans la cour de la prison il n'y a pas d'herbe.

L'INTERROGATEUR : Vous aurez un autre jardin bientôt.

CLAIRE : Vous croyez?

L'INTERROGATEUR : Oui.

CLAIRE : C'est triste.

L'INTERROGATEUR : Oui.

CLAIRE : Je me sens folle quelquefois.

C'était ridicule cette vie.

L'INTERROGATEUR : Vous vous sentez folle?

CLAIRE : La nuit. Oui. J'entends des choses. Il m'est arrivé de les croire.

La nuit on bat des gens à mort dans les caves. Une fois il y a eu des commencements d'incendie partout. La pluie les a éteints.

L'INTERROGATEUR : Qui battait qui?

CLAIRE : La police. La police battait des étrangers dans les caves de Viorne, ou d'autres gens. Ils repartaient au petit jour.

L'INTERROGATEUR : Vous les avez vus?

CLAIRE : Non. Dès que je venais, ça cessait.

Mais bien souvent je me trompais, c'était calme, tranquille, très tranquille.

Si des recherches sont faites dans la maison,

n'oubliez pas de dire que le sens des portes – quand on descend l'escalier – n'a jamais été bon.

L'INTERROGATEUR : Pour qui le dire?

CLAIRE : Pour celles qui viendront plus tard. C'est chaque fois la même chose pour les autres qui ont fait ce que j'ai fait?

L'INTERROGATEUR : Oui.

CLAIRE : Ce n'est pas une explication?

L'INTERROGATEUR : Non. Vous êtes fatiguée, maintenant?

CLAIRE : Oui, c'est une fatigue qui repose. Je suis très près d'être folle peut-être. Ou morte. Ou vivante. Qu'en pensez-vous?

L'INTERROGATEUR : Vivante.

CLAIRE : Ah.

Est-ce que je vous ai dit pour la tête où je l'avais mise?

L'INTERROGATEUR : Non.

CLAIRE : Bon. Je dois garder ce secret. Je parle trop. On ne m'a jamais posé de questions avant aujourd'hui. Ma route est allée droit vers ce crime. Il faut me garder. Je suis dans la section des criminelles de Droit commun. Un avocat est venu et m'a dit que j'allais aller dans une maison où j'oublierai. Je ne l'ai pas cru. Je me conduis très bien.

Je sais qu'Alfonso ne viendra pas en prison avec moi. Tant pis.

Vous ne dites plus rien?

On m'a donné du papier pour écrire et un porte-plume.

J'ai essayé mais je n'ai pas trouvé le premier mot à mettre sur la page.

Pourtant j'ai écrit aux journaux, avant, oh, très souvent, des lettres très longues. Au fait, je vous l'ai dit ça?

L'INTERROGATEUR : Dans une de ces lettres vous demandiez comment garder la menthe anglaise en hiver.

CLAIRE : Ah oui? J'en mangeais quelquefois. J'ai écrit beaucoup de lettres. Cinquante-trois.

J'étais un égout avant le crime. Maintenant, moins.

Jamais je n'aurais cru que c'était possible.

Vous ne dites plus rien.

L'INTERROGATEUR : Maintenant il faut que vous disiez où est la tête.

CLAIRE : C'est pour en arriver à cette question que vous m'avez posé toutes les autres?

L'INTERROGATEUR : Non.

CLAIRE : Si c'est le juge qui vous a demandé de me poser cette question vous n'aurez qu'à lui dire que je n'ai pas répondu.

Qu'est-ce que vous répondrez, vous, si je vous dis que c'est à l'asile psychiatrique de Versailles qu'ils vont me mettre?

L'INTERROGATEUR : Je vous réponds oui.

Je vous ai répondu.

CLAIRE : Alors c'est que je suis folle? Qu'est-ce que vous répondez si je vous demande si je suis folle?

L'INTERROGATEUR : Je vous réponds aussi : oui.

CLAIRE : Alors vous parlez à une folle.

L'INTERROGATEUR : Oui.

CLAIRE : Alors pourquoi me demander où est la tête. Peut-être que je ne sais plus où je l'ai mise; que j'ai oublié l'endroit?

L'INTERROGATEUR : Une indication, même vague, suffirait. Un mot. Forêt. Talus.

CLAIRE : Pourquoi?

L'INTERROGATEUR : Pour le dire.

CLAIRE : À vous?

L'INTERROGATEUR : Oui.

CLAIRE : En souvenir?

L'INTERROGATEUR : Oui.

Elle hésite.

CLAIRE : Non. Vous entendez?

L'INTERROGATEUR : Oui.

CLAIRE : Il y a d'autres choses que je ne vous ai pas dites. Vous ne voulez pas savoir lesquelles?

L'INTERROGATEUR : Non.

CLAIRE : Tant pis.

Si je vous disais où est la tête, vous me parleriez encore?

L'INTERROGATEUR : Non.

CLAIRE : Vous êtes découragé. C'est ça?

L'INTERROGATEUR : Oui.

CLAIRE : Si j'avais réussi à vous dire pourquoi j'ai tué cette grosse femme sourde, vous me parleriez encore?

L'INTERROGATEUR : Non, je ne crois pas.

CLAIRE : Vous voulez qu'on essaye encore?

Qu'est-ce que j'ai dit qui vous a découragé tout à coup?

L'heure est passée?

C'est toujours la même chose, qu'on ait commis un crime ou rien.

Quelquefois ma bouche était comme le ciment du banc, je vous l'ai dit?

Au rez-de-chaussée, quand on descendait l'escalier il y avait trois portes, la première est celle de la salle à manger, la deuxième celle du couloir, la troisième celle de sa chambre, elles étaient toujours ouvertes, en rang, et toutes du même côté, elles pesaient sur le mur du même côté, alors on pouvait croire que la maison penchait de ce côté-là et que la morte avait roulé au fond, entraînée par la pente, le long des portes, il fallait se tenir à la rampe.

Moi à votre place, j'écouterais. Écoutez-moi... je vous en supplie...

ŒUVRES DE MARGUERITE DURAS

LES IMPUDENTS (1943, *roman,* Plon).

LA VIE TRANQUILLE (1944, *roman,* Gallimard).

UN BARRAGE CONTRE LE PACIFIQUE (1950, *roman,* Gallimard).

LE MARIN DE GIBRALTAR (1952, *roman,* Gallimard).

LES PETITS CHEVAUX DE TARQUINIA (1953, *roman,* Gallimard).

DES JOURNÉES ENTIÈRES DANS LES ARBRES, *suivi de :* LE BOA – MADAME DODIN – LES CHANTIERS (1954, *récits,* Gallimard).

LE SQUARE (1955, *roman,* Gallimard).

MODERATO CANTABILE (1958, *roman,* Éditions de Minuit).

LES VIADUCS DE LA SEINE-ET-OISE (1959, *théâtre,* Gallimard).

DIX HEURES ET DEMIE DU SOIR EN ÉTÉ (1960, *roman,* Gallimard).

HIROSHIMA MON AMOUR (1960, *scénario et dialogues,* Gallimard).

UNE AUSSI LONGUE ABSENCE (1961, *scénario et dialogues,* en collaboration avec Gérard Jarlot, Gallimard).

L'APRÈS-MIDI DE MONSIEUR ANDESMAS (1962, *récit,* Gallimard).

LE RAVISSEMENT DE LOL V. STEIN (1964, *roman,* Gallimard).

THÉÂTRE I : LES EAUX ET FORÊTS – LE SQUARE – LA MUSICA (1965, Gallimard).

LE VICE-CONSUL (1965, *roman,* Gallimard).

LA MUSICA (1966, *film,* coréalisé par Paul Seban, distr. Artistes Associés).

L'AMANTE ANGLAISE (1967, *roman,* Gallimard).

L'AMANTE ANGLAISE (1968, *théâtre,* Cahiers du Théâtre national populaire).

THÉÂTRE II : SUZANNA ANDLER – DES JOURNÉES ENTIÈRES DANS LES ARBRES – YES, PEUT-ÊTRE – LE SHAGA – UN HOMME EST VENU ME VOIR (1968, Gallimard).

DÉTRUIRE, DIT-ELLE (1969, Éditions de Minuit).

DÉTRUIRE, DIT-ELLE (1969, *film,* distr. Benoît-Jacob).

ABAHN, SABANA, DAVID (1970, Gallimard).

L'AMOUR (1971, Gallimard).

JAUNE LE SOLEIL (1971, *film,* distr. Films Molière).

INDIA SONG (1973, *texte, théâtre, film,* Gallimard).

LA FEMME DU GANGE (1973, *film,* distr. Benoît-Jacob).

NATHALIE GRANGER, *suivi de* LA FEMME DU GANGE (1973, Gallimard).

LES PARLEUSES (1974, *entretiens avec Xavière Gauthier,* Éditions de Minuit).

INDIA SONG (1975, *film,* distr. Films Armorial).

BAXTER, VERA BAXTER (1976, *film,* distr. N.E.F. Diffusion).

SON NOM DE VENISE DANS CALCUTTA DÉSERT (1976, *film,* distr. Benoît-Jacob).

DES JOURNÉES ENTIÈRES DANS LES ARBRES (1976, *film,* distr. Benoît-Jacob).

LE CAMION (1977, *film,* distr. D. D. Prod.).

LE CAMION, *suivi de* ENTRETIEN AVEC MICHELLE PORTE (1977, Éditions de Minuit).

LES LIEUX DE MARGUERITE DURAS (1977, *en collaboration avec Michelle Porte,* Éditions de Minuit).

L'ÉDEN CINÉMA (1977, *théâtre,* Gallimard).

LE NAVIRE NIGHT (1978, *film,* Films du Losange).

CÉSARÉE (1979, *film,* Films du Losange).

LES MAINS NÉGATIVES (1979, *film,* Films du Losange).

AURÉLIA STEINER, *dit* AURÉLIA MELBOURNE (1979, *film,* Films Paris-Audiovisuels).

AURÉLIA STEINER, *dit* AURÉLIA VANCOUVERT (1979, *film,* Films du Losange).

VERA BAXTER OU LES PLAGES DE L'ATLANTIQUE (1980, Albatros).

L'HOMME ASSIS DANS LE COULOIR (1980, *récit,* Éditions de Minuit).

L'ÉTÉ 80 (1980, Éditions de Minuit).

LES YEUX VERTS (1980, Cahiers du cinéma).

AGATHA (1981, Éditions de Minuit).

OUTSIDE (1981, Albin Michel, rééd. P.O.L., 1984).

LA JEUNE FILLE ET L'ENFANT (1981, *cassette,* Des Femmes éd. Adaptation de L'ÉTÉ 80 par Yann Andréa, lue par Marguerite Duras).

DIALOGUE DE ROME (1982, *film,* prod. Coop. Longa Gittata. Rome).

L'HOMME ATLANTIQUE (1982, *récit,* Éditions de Minuit).

SAVANNAH BAY (1re éd. 1982, 2e éd. augmentée, 1983, Éditions de Minuit).

LA MALADIE DE LA MORT (1982, *récit*, Éditions de Minuit).

THÉÂTRE III : LA BÊTE DANS LA JUNGLE, *d'après Henry James, adaptation de James Lord et Marguerite Duras* – LES PAPIERS D'ASPERN, *d'après Henry James, adaptation de Marguerite Duras et Robert Antelme* – LA DANSE DE MORT, *d'après August Strindberg, adaptation de Marguerite Duras* (1984, Gallimard).

L'AMANT (1984, Éditions de Minuit).

LA DOULEUR (1985, P.O.L.).

LA MUSICA DEUXIÈME (1985, Gallimard).

LA MOUETTE DE TCHEKOV (1985, Gallimard).

LES ENFANTS, *avec Jean Mascolo et Jean-Marc Turine* (1985, *film*).

LES YEUX BLEUS, CHEVEUX NOIRS (1986, Éditions de Minuit).

EMILY L (1987, Éditions de Minuit).

LA PUTE DE LA CÔTE NORMANDE (1986, Éditions de Minuit).

LA VIE MATÉRIELLE (1987, P.O.L.).

LA PLUIE D'ÉTÉ (1990, P.O.L.).

L'AMANT DE LA CHINE DU NORD (1991, Gallimard).

Adaptations :

La Bête dans la jungle,
d'après une nouvelle de Henry James. Adaptation de James Lord et de Marguerite Duras (non édité).

Miracle en Alabama, de William Gibson.
Adaptation de Marguerite Duras et Gérard Jarlot (1963, L'Avant-Scène).

Les Papiers d'Aspern, de Michael Redgrave,
d'après une nouvelle de Henry James. Adaptation de Marguerite Duras et Robert Antelme (1970, Éd. Paris-Théâtre).

Home, de David Storey.
Adaptation de Marguerite Duras (1973, Gallimard).

Le Monde extérieur (à paraître, P.O.L.).

Axée sur les constructions de l'imagination, cette collection vous invite à découvrir les textes les plus originaux des littératures romanesques française et étrangères.

Dernières parutions

Volumes parus

1. Raymond Queneau : *Un rude hiver.*
2. William Faulkner : *Les palmiers sauvages.*
3. Michel Leiris : *Aurora.*
4. Henri Thomas : *La nuit de Londres.*
5. Max Jacob : *Le cabinet noir.*
6. D. H. Lawrence : *L'homme qui était mort.*
7. Herman Melville : *Benito Cereno et autres contes de la Véranda.*
8. Valery Larbaud : *Enfantines.*
9. Aragon : *Le libertinage.*
10. Jacques Audiberti : *Abraxas.*
11. Jean Grenier : *Les îles.*
12. Marguerite Duras : *Le vice-consul.*
13. Jorge Luis Borges : *L'Aleph.*
14. Pierre Drieu la Rochelle : *État civil.*
15. Maurice Blanchot : *L'arrêt de mort.*
16. Michel Butor : *Degrés.*
17. Georges Limbour : *Les vanilliers.*
18. George du Maurier : *Peter Ibbetson.*
19. Joseph Conrad : *Jeunesse* suivi de *Cœur des ténèbres.*
20. Jean Giono : *Fragments d'un paradis.*
21. Malcolm Lowry : *Ultramarine.*
22. Cesare Pavese : *Le bel été.*
23. Pierre Gascar : *Les bêtes.*

24. Jules Supervielle : *L'homme de la pampa.*
25. Truman Capote : *La harpe d'herbes.*
26. Marcel Arland : *La consolation du voyageur.*
27. F. Scott Fitzgerald : *L'envers du paradis.*
28. Victor Segalen : *René Leys.*
29. Paul Valéry : *Monsieur Teste.*
30. C.-F. Ramuz : *Vie de Samuel Belet.*
31. Marguerite Yourcenar : *Nouvelles orientales.*
32. Louis-René des Forêts : *Le bavard.*
33. William Faulkner : *Absalon ! Absalon !*
34. Jean Genet : *Pompes funèbres.*
35. Ernst Jünger : *Le cœur aventureux.*
36. Antonin Artaud : *Héliogabale.*
37. Guillaume Apollinaire : *La femme assise.*
38. Juan Rulfo : *Pedro Páramo.*
39. Eugène Zamiantine : *Nous autres.*
40. Marcel Proust : *Les plaisirs et les jours.*
41. André Pieyre de Mandiargues : *Soleil des loups.*
42. Maurice Sachs : *Le Sabbat.*
43. D. H. Lawrence : *L'arc-en-ciel.*
44. Henri Calet : *La belle lurette.*
45. Rómulo Gallegos : *Doña Bárbara.*
46. Georges Lambrichs : *Les fines attaches.*
47. Ernst Jünger : *Sur les falaises de marbre.*
48. Raymond Queneau : *Les œuvres complètes de Sally Mara.*
49. Marguerite Duras : *L'après-midi de monsieur Andesmas.*
50. T. E. Lawrence : *La matrice.*
51. Julio Cortázar : *Marelle.*
52. Maurice Fourré : *La nuit du Rose-Hôtel.*
53. Gertrude Stein : *Autobiographie d'Alice Toklas.*
54. Hoffmann : *Le chat Murr.*
55. Joë Bousquet : *Le médisant par bonté.*
56. Marcel Jouhandeau : *Prudence Hautechaume.*
57. Jane Austen : *Catherine Morland.*
58. Pierre Guyotat : *Tombeau pour cinq cent mille soldats.*
59. Aragon : *Traité du style.*
60. Frédéric Prokosch : *Sept fugitifs.*
61. Henri Bosco : *Pierre Lampédouze.*
62. Paul Bowles : *Un thé au Sahara.*

63. Louis Guilloux : *La confrontation.*
64. Henri Calet : *Le tout sur le tout.*
65. Hermann Broch : *La mort de Virgile.*
66. Pierre Herbart : *Alcyon.*
67. Thomas Mann : *Les Histoires de Jacob.*
68. Thomas Mann : *Le jeune Joseph.*
69. Thomas Mann : *Joseph en Égypte.*
70. Thomas Mann : *Joseph le Nourricier.*
71. Samuel Butler : *Erewhon.*
72. René Daumal : *Le Mont Analogue.*
73. Edmond Duranty : *Le malheur d'Henriette Gérard.*
74. Vladimir Nabokov : *Feu pâle.*
75. René Crevel : *Êtes-vous fous ?*
76. Mario Vargas Llosa : *La maison verte.*
77. Stig Dagerman : *L'enfant brûlé.*
78. Raymond Queneau : *Saint Glinglin.*
79. Hugo von Hofmannsthal : *Andréas et autres récits.*
80. Robert Walser : *L'Institut Benjamenta.*
81. William Golding : *La nef.*
82. Alfred Jarry : *Les jours et les nuits.*
83. Roger Caillois : *Ponce Pilate.*
84. Thomas Mofolo : *Chaka, une épopée bantoue.*
85. Jean Blanzat : *Le Faussaire.*
86. Jean Genet : *Querelle de Brest.*
87. Gertrude Stein : *Trois vies.*
88. Mircea Eliade : *Le vieil homme et l'officier.*
89. Raymond Guérin : *L'apprenti.*
90. Robert Desnos : *La liberté ou l'amour !* suivi de *Deuil pour deuil.*
91. Jacques Stephen Alexis : *Compère Général Soleil.*
92. G. K. Chesterton : *Le poète et les lunatiques.*
93. Emmanuel Berl : *Présence des morts.*
94. Hermann Broch : *Les somnambules,* I. } cf. Nouvelle
95. Hermann Broch : *Les sombambules,* II. } édition n° 229
96. William Goyen : *La maison d'haleine.*
97. Léon-Paul Fargue : *Haute solitude.*
98. Valery Larbaud : *A. O. Barnabooth, son journal intime.*
99. Jean Paulhan : *Le guerrier appliqué. Progrès en amour assez lents. Lalie.*

100. Marguerite Yourcenar : *Denier du Rêve.*
101. Alexandre Vialatte : *Battling le ténébreux.*
102. Henri Bosco : *Irénée.*
103. Luigi Pirandello : *Un, personne et cent mille.*
104. Pierre Jean Jouve : *La Scène capitale.*
105. Jorge Luis Borges : *L'auteur et autres textes.*
106. Paul Gadenne : *La plage de Scheveningen.*
107. Ivy Compton-Burnett : *Une famille et son chef.*
108. Victor Segalen : *Équipée.*
109. Joseph Conrad : *Le Nègre du « Narcisse ».*
110. Danilo Kiš : *Jardin, cendre.*
111. Jacques Audiberti : *Le retour du divin.*
112. Brice Parain : *Joseph.*
113. Iouri Tynianov : *Le lieutenant Kijé.*
114. Jacques Stephen Alexis : *L'espace d'un cillement.*
115. David Shahar : *Un été rue des Prophètes.*
116. Léon Bloy : *L'âme de Napoléon.*
117. Louis-René des Forêts : *La chambre des enfants.*
118. Jean Rhys : *Les tigres sont plus beaux à voir.*
119. C.-A. Cingria : *Bois sec Bois vert.*
120. Vladimir Nabokov : *Le Don.*
121. Leonardo Sciascia : *La mer couleur de vin.*
122. Paul Morand : *Venises.*
123. Saul Bellow : *Au jour le jour.*
124. Raymond Guérin : *Parmi tant d'autres feux...*
125. Julien Green : *L'autre sommeil.*
126. Taha Hussein : *Le livre des jours.*
127. Pierre Herbart : *Le rôdeur.*
128. Edith Wharton : *Ethan Frome.*
129. André Dhôtel : *Bernard le paresseux.*
130. Valentine Penrose : *La Comtesse sanglante.*
131. Bernard Pingaud : *La scène primitive.*
132. H. G. Wells : *Effrois et fantasmagories.*
133. Henri Calet : *Les grandes largeurs.*
134. Saul Bellow : *Mémoires de Mosby et autres nouvelles.*
135. Paul Claudel : *Conversations dans le Loir-et-Cher.*
136. William Maxwell : *La feuille repliée.*
137. Noël Devaulx : *L'auberge Parpillon.*
138. William Burroughs : *Le festin nu.*

139. Oskar Kokoschka : *Mirages du passé.*
140. Jean Cassou : *Les inconnus dans la cave.*
141. Jorge Amado : *Capitaines des Sables.*
142. Marc Bernard : *La mort de la bien-aimée.*
143. Raymond Abellio : *La fosse de Babel.*
144. Frederic Prokosch : *Les Asiatiques.*
145. Michel Déon : *Un déjeuner de soleil.*
146. Czeslaw Milosz : *Sur les bords de l'Issa.*
147. Pierre Guyotat : *Éden, Éden, Éden.*
148. Patrick White : *Une ceinture de feuilles.*
149. Malcolm de Chazal : *Sens-plastique.*
150. William Golding : *Chris Martin.*
151. André Pieyre de Mandiargues : *Marbre ou Les mystères d'Italie.*
152. V. S. Naipaul : *Une maison pour Monsieur Biswas.*
153. Rabindranath Tagore : *Souvenirs d'enfance.*
154. Henri Calet : *Peau d'Ours.*
155. Joseph Roth : *La fuite sans fin.*
156. Marcel Jouhandeau : *Chronique d'une passion.*
157. Truman Capote : *Les domaines hantés.*
158. Franz Kafka : *Préparatifs de noce à la campagne.*
159. Daniel Boulanger : *La rose et le reflet.*
160. T. F. Powys : *Le bon vin de M. Weston.*
161. Junichirô Tanizaki : *Le goût des orties.*
162. *En mouchant la chandelle (Nouvelles chinoises des Ming).*
163. Cesare Pavese : *La lune et les feux,* précédé de *La plage.*
164. Henri Michaux : *Un barbare en Asie.*
165. René Daumal : *La Grande Beuverie.*
166. Hector Bianciotti : *L'amour n'est pas aimé.*
167. Elizabeth Bowen : *La maison à Paris.*
168. Marguerite Duras : *L'Amante anglaise.*
169. David Shahar : *Un voyage à Ur de Chaldée.*
170. Mircea Eliade : *Noces au paradis.*
171. Armand Robin : *Le temps qu'il fait.*
172. Ernst von Salomon : *La Ville.*
173. Jacques Audiberti : *Le maître de Milan.*
174. Shelby Foote : *L'enfant de la fièvre.*
175. Vladimir Nabokov : *Pnine.*
176. Georges Perros : *Papiers collés.*

177. Osamu Dazai : *Soleil couchant.*
178. William Golding : *Le Dieu scorpion.*
179. Pierre Klossowski : *Le Baphomet.*
180. A. C. Swinburne : *Lesbia Brandon.*
181. Henri Thomas : *Le promontoire.*
182. Jean Rhys : *Rive gauche.*
183. Joseph Roth : *Hôtel Savoy.*
184. Herman Melville : *Billy Budd, marin,* suivi de *Daniel Orme.*
185. Paul Morand : *Ouvert la nuit.*
186. James Hogg : *Confession du pécheur justifié.*
187. Claude Debussy : *Monsieur Croche* et autres écrits.
188. Jorge Luis Borges et Margarita Guerrero : *Le livre des êtres imaginaires.*
189. Ronald Firbank : *La Princesse artificielle,* suivi de *Mon piaffeur noir.*
190. Manuel Puig : *Le plus beau tango du monde.*
191. Philippe Beaussant : *L'archéologue.*
192. Sylvia Plath : *La cloche de détresse.*
193. Violette Leduc : *L'asphyxie.*
194. Jacques Stephen Alexis : *Romancero aux étoiles.*
195. Joseph Conrad : *Au bout du rouleau.*
196. William Goyen : *Précieuse porte.*
197. Edmond Jabès : *Le Livre des Questions,* I.
198. Joë Bousquet : *Lettres à Poisson d'Or.*
199. Eugène Dabit : *Petit-Louis.*
200. Franz Kafka : *Lettres à Milena.*
201. Pier Paolo Pasolini : *Le rêve d'une chose.*
202. Daniel Boulanger : *L'autre rive.*
203. Maurice Blanchot : *Le Très-Haut.*
204. Paul Bowles : *Après toi le déluge.*
205. Pierre Drieu La Rochelle : *Histoires déplaisantes.*
206. Vincent Van Gogh : *Lettres à son frère Théo.*
207. Thomas Bernhard : *Perturbation.*
208. Boris Pasternak : *Sauf-conduit.*
209. Giuseppe Bonaviri : *Le tailleur de la grand-rue.*
210. Jean-Loup Trassard : *Paroles de laine.*
211. Thomas Mann : *Lotte à Weimar.*
212. Pascal Quignard : *Les tablettes de buis d'Apronenia Avitia.*
213. Guillermo Cabrera Infante : *Trois tristes tigres.*

214. Edmond Jabès : *Le Livre des Questions,* II.
215. Georges Perec : *La disparition.*
216. Michel Chaillou : *Le sentiment géographique.*
217. Michel Leiris : *Le ruban au cou d'Olympia.*
218. Danilo Kiš : *Le cirque de famille.*
219. Princesse Marthe Bibesco : *Au bal avec Marcel Proust.*
220. Harry Mathews : *Conversions.*
221. Georges Perros : *Papiers collés,* II.
222. Daniel Boulanger : *Le chant du coq.*
223. David Shahar : *Le jour de la comtesse.*
224. Camilo José Cela : *La ruche.*
225. J. M. G. Le Clézio : *Le livre des fuites.*
226. Vassilis Vassilikos : *La plante.*
227. Philippe Sollers : *Drame.*
228. Guillaume Apollinaire : *Lettres à Lou.*
229. Hermann Broch : *Les somnambules.*
230. Raymond Roussel : *Locus Solus.*
231. John Dos Passos : *Milieu de siècle.*
232. Elio Vittorini : *Conversation en Sicile.*
233. Edouard Glissant : *Le quatrième siècle.*
234. Thomas De Quincey : *Les confessions d'un mangeur d'opium anglais* suivies de *Suspiria de profundis* et de *La malle-poste anglaise.*
235. Eugène Dabit : *Faubourgs de Paris.*
236. Halldor Laxness : *Le Paradis retrouvé.*
237. André Pieyre de Mandiargues : *Le Musée noir.*
238. Arthur Rimbaud : *Lettres de la vie littéraire d'Arthur Rimbaud.*
239. Henry David Thoreau : *Walden ou La vie dans les bois.*
240. Paul Morand : *L'homme pressé.*
241. Ivan Bounine : *Le calice de la vie.*
242. Henri Michaux : *Ecuador (Journal de voyage).*
243. André Breton : *Les pas perdus.*
244. Florence Delay : *L'insuccès de la fête.*
245. Pierre Klossowski : *La vocation suspendue.*
246. William Faulkner : *Descends, Moïse.*
247. Frederick Rolfe : *Don Tarquinio.*
248. Roger Vailland : *Beau Masque.*
249. Elias Canetti : *Auto-da-fé.*

250. Daniel Boulanger : *Mémoire de la ville.*
251. Julian Gloag : *Le tabernacle.*
252. Edmond Jabès : *Le Livre des Ressemblances.*
253. J. M. G. Le Clézio : *La fièvre.*
254. Peter Matthiessen : *Le léopard des neiges.*
255. Marquise Colombi : *Un mariage en province.*
256. Alexandre Vialatte : *Les fruits du Congo.*
257. Marie Susini : *Je m'appelle Anna Livia.*
258. Georges Bataille : *Le bleu du ciel.*
259. Valéry Larbaud : *Jaune bleu blanc.*
260. Michel Leiris : La règle du jeu I, *Biffures.*
261. Michel Leiris : La règle du jeu II, *Fourbis.*
262. Marcel Jouhandeau : *Le parricide imaginaire.*

Composé et achevé d'imprimer
par l'Imprimerie Floch
à Mayenne, le 30 septembre 1991.
Dépôt légal : septembre 1991.
Numéro d'imprimeur : 31022.
ISBN 2-07-072434-4 / Imprimé en France.

53335